Lire
EN ATTENDANT GODOT

Sous la direction de DANIEL BERGEZ

Lire
EN ATTENDANT GODOT

par JEAN-PIERRE RYNGAERT

© DUNOD, Paris, 1993

ISBN 2-10-001650-4

Table des matières

LES GRANDES SCÈNES
D' *EN ATTENDANT GODOT.*

ENJEUX ET ÉCHOS
D'*EN ATTENDANT GODOT*

Une pièce événement

« – Allons-nous en.
– On ne peut pas.
– Pourquoi ?
– On attend Godot.
– C'est vrai. »

Ce dialogue en forme de leitmotiv est devenu le signe distinctif de la pièce et, au-delà de celle-ci, la marque du nouveau théâtre des années cinquante en rupture avec les formes traditionnelles. « Attendre Godot » est même une expression passée dans le langage courant de l'époque, parfois dans le langage de ceux qui n'ont jamais vu la pièce, pour signifier l'attente interminable et vaine de ceux qui ne savent plus très bien ce qu'ils attendent et restent suspendus dans une sorte d'inaction distraite.

Quarante ans après l'événement de la création, et après un succès aussi considérable qu'inattendu, ceux qui ont vu la pièce à l'époque (et qui l'ont aimée) s'en souviennent comme d'un haut fait de théâtre, auquel ils assistaient. Ainsi Guy Dumur, critique de théâtre, intitule-t-il l' évocation de sa soirée : « La première fois que j'ai attendu Godot », dans le numéro hors-série intitulé « Samuel Beckett » de la *Revue d'esthétique* (mai 1990) :

> « N'empêche, cette première soirée du Babylone, on s'en souvient… Ai-je senti ce soir là qu'il s'agissait d'un « chef-d'œuvre » ? Je le crois. Un chef-d'œuvre, c'est comme ça que ça s'appelle, l'œuvre qui vous fait pénétrer dans un monde nettement circonscrit, délimité par une forme et une pensée sans faille – et qui ne vieillira pas. Moment étonnant, quand on y repense ensuite, de s'être trouvé là – et comme je regrette que ce ne fût pas par hasard – […]. Une véritable trépanation, sous le protoxyde d'azote du rire. »

Pour en arriver là, Beckett et son metteur en scène, Roger Blin, avaient dû surmonter de nombreuses difficultés, même si le contexte théâtral de l'époque annonçait que quelque chose était en train de changer.

Le contexte théâtral de l'après-guerre

La production théâtrale de l'immédiat après-guerre ne bouleverse guère les modèles dramatiques établis. J.-P.Sartre et A.Camus mettent au service du débat d'idées les formes théâtrales historiques. Les pièces de Sartre proposent dans les années 1944-1947, un théâtre mythique qui transpose les grandes questions contemporaines dans un passé lointain qui facilite la réflexion. Leur auteur ne s'intéresse pas au théâtre réaliste et psychologique ; il s'inspire plutôt, bien que de façon indirecte, du théâtre antique. Il ne semble pas se préoccuper d'une réflexion sur les formes de la dramaturgie contemporaine. Le système dramatique hérité du passé lui convient pour mener le débat idéologique urgent qui anime l'après-guerre : les questions de la fin et des moyens, de la légitimité de la violence, des conséquences de l'action, des rapports de la personne avec la collectivité, de l'entreprise individuelle avec les constantes historiques.

Albert Camus centre également sa dramaturgie autour du débat philosophique. Il fait appel à des formes différentes selon les sujets. « Aucune de ses pièces dramaturgiquement ne ressemble aux autres », écrit Michel Autrand, qui remarque cependant qu'elles s'inspirent plutôt des grandes œuvres du passé, de la tragédie grecque comme de la tragédie classique ou de l'oratorio claudélien. Sartre et Camus attirent un public important, puisque leurs pièces s'installent dans les grands théâtres de la rive droite et font reculer le répertoire de boulevard. Mais leur succès vient davantage des sujets qu'ils traitent que d'éventuelles innovations formelles.

Tout de suite après la guerre on joue aussi beaucoup de ces textes, connus depuis sous le nom de « théâtre poétique », qui font la part belle au langage, comme si l'on avait besoin de rattraper le temps perdu en renouant avec la profusion des mots et la célébra-

Les textes de théâtre contemporains de *En attendant Godot.*

1943   J.-P. Sartre : *Les Mouches.*

S. O'Casey : *Roses rouges pour moi.* (Irl.)

1944   J. Anouilh : *Antigone.*

J.-P. Sartre : *Huis-clos.*

1945   J. Giraudoux : *La Folle de Chaillot.*

P. Valéry : *Mon Faust.*

B. Brecht : *Le Cercle de craie caucasien.* (All.)

1946   A. Salacrou : *Nuits de la colère.*

J.-P. Sartre : *La P... respectueuse.*

1947   J. Audiberti : *Le Mal court.*

J. Genet : *Les Bonnes*

H. de Montherlant : *Le Maître de Santiago*

H. Pichette : *Les Épiphanies.*

T. Williams : *Un Tramway nommé désir.* (USA)

1948   E. Roblès : *Montserrat*

J.-P. Sartre : *Les Mains sales.*

R. Weingarten : *Akara.*

1949   E. Ionesco : *La Cantatrice chauve.*

G. Bernanos : *Le Dialogue des carmélites*

S. O'Casey : *Coquin de coq.* (Irl.)

1950   U. Betti : *L'Île aux chèvres.* (Ital.)

1951   E. Ionesco : *Les Chaises.*

1952   **S. Beckett : *En attendant Godot***

J. Vauthier : *Capitaine Bada.*

B. Brecht : *Mère courage.* (All.)

1953   J. Anouilh : *L'Alouette.*

P. Claudel. création de *Christophe Colomb.*

1954   H. de Montherlant : *Port-Royal.*

1955   A. Adamov : *Ping-pong*

J. Tardieu : *Théâtre de chambre.*

T. Williams : *La Chatte sur un toit brûlant.* (USA)

A. Miller : *Vu du pont.* (USA)

1956   J. Genet : *Le Balcon.*

F. Marceau. *L'Œuf.*

1957   M. Achard : *Patate*

A. Adamov : *Paolo Paoli.*

S. Beckett : *Fin de partie.*

tion de la langue. Dans des registres différents, Jacques Audiberti, Michel de Ghelderode, Henri Pichette et Federico Garcia Lorca s'imposent comme les dramaturges d'un théâtre où l'on fête les mots pour eux-mêmes, parfois sans trop de soucis narratifs. Mais la création donne aussi une place importante à une sensibilité toute différente. La mémoire de la guerre s'exprime à travers des auteurs « sombres », comme Strindberg et Kafka. En 1945, Jean Vilar monte et joue *La Danse de mort,* Jean-Louis Barrault met en scène *Le Procès* (1947) dans une adaptation d'André Gide. Dans ces pièces, l'univers intime concentrationnaire et l'angoisse de l'incommunicabilité paraissent, *a posteriori,* proches du monde des personnages de *Godot.*

Le besoin de nouveaux auteurs se fait pourtant sentir. C'est ainsi que Jean Vilar, tout en faisant redécouvrir les classiques au public du festival d'Avignon et à celui du Théâtre national populaire installé à Chaillot, s'intéresse activement aux textes contemporains. Quant à Brecht, qui apportera une vision radicalement différente du théâtre, il ne s'est pas encore imposé en France, puisque c'est seulement en 1954 que le « «Berliner Ensemble », en visite à Paris, va faire découvrir son travail novateur. Un metteur en scène comme Jean-Marie Serreau, celui-là même qui offrira son théâtre à la création de *Godot,* a cependant préparé le terrain en montant *L'Exception et la règle* de Brecht en 1950 dans le petit théâtre des Noctambules.

L'élan créateur vient en effet de ces petites salles de la rive gauche, où des directeurs et des metteurs en scène prennent les risques de la nouveauté avec des moyens économiques limités. Un article de Jean Duvignaud, paru en 1954 dans la revue *Théâtre populaire,* donne une idée des préoccupations de ces hommes et du répertoire qui les intéresse alors. Sous le titre *Estivales du théâtre d'aujourd'hui,* il salue l'initiative d'animateurs de quatre salles d'avant-garde qui réunissent au Théâtre Babylone neuf metteurs en scène et quinze auteurs différents et y présentent leurs créations les plus récentes. On y trouve notamment Pirandello, Brecht, Kafka, Strindberg, Ugo Betti, Michel de Ghelderode et Samuel Beckett, dans des mises en scène de Michel de Ré, Jacques Fabbri, Pierre Valde, Jean-Marie Serreau, Marcel Lupovici et Roger Blin.

Pendant que l'État français met en place sur tout le territoire un réseau de théâtres subventionnés et décentralisés qui entame un travail en profondeur de diffusion du répertoire auprès du plus vaste public possible, dans ce petit périmètre parisien sont joués les textes de quelques auteurs qui proposent une conception nouvelle du théâtre.

Avec le recul, on a l'impression que les choses sont allées très vite. De 1950 à 1953, se révèlent presque en même temps ceux que l'on a appelés les auteurs de l'avant-garde : Eugène Ionesco, Arthur Adamov, Samuel Beckett. Jean Genet, qui les avait précédés – *Les Bonnes* date de 1947, ne sera vraiment connu, avec *Les Nègres*, qu'en 1959.

En 1950, trois auteurs sont présentés à des heures différentes sur la seule scène du théâtre des Noctambules : Ionesco avec *La Cantatrice chauve*, sa première pièce, Brecht avec *L'Exception et la règle*, première pièce présentée en France depuis *L'Opéra de quat'sous* monté par Baty en 1930, et Kafka avec *Le Gardien du tombeau*. Si le succès n'était pas au rendez-vous, si les spectateurs n'étaient pas tous prêts, loin de là, à recevoir des textes aussi novateurs, il est certain que le théâtre était en train d'opérer une mutation considérable, à laquelle Beckett allait contribuer. Geneviève Serreau présente ainsi les enjeux de cette nouvelle dramaturgie :

> « ... Ce que les nouveaux venus apportaient au théâtre : entre autres cette contestation radicale du langage, le mot devenu objet, l'objet, le geste devenus significatifs à l'égal du mot, et tout concourant à l'instauration d'un nouveau réel théâtral [...], cette prise de possession tranquille et souveraine de la scène reléguait au second rang les beaux divertissements de nos poètes. » (Geneviève Serreau, *Histoire du nouveau théâtre*, Gallimard, 1966).

La recherche d'un directeur de théâtre

Il n'est cependant pas facile de trouver une scène et de rassembler les moyens de la production. Après la guerre, c'est Suzanne, l'épouse de Beckett, qui lui sert d'agent littéraire et qui fait le tour des éditeurs et des théâtres. Roger Blin raconte comment, alors

qu'il jouait *La Sonate des spectres* au Théâtre de la Gaîté, une dame
lui avait fait remettre deux textes, *Eleutheria* et *En attendant Godot.*
D'autres metteurs en scène avaient été contactés, avant ou en
même temps que lui, sans doute les Grenier-Hussenot et Georges
Vitaly, mais ils n'avaient pas voulu des textes. Blin était plutôt tenté
par le premier, mais le coût de la production – *Eleutheria* compte
dix-sept personnages – lui firent choisir *Godot.* Ses quatre personnages, plus l'enfant et l'arbre, limitaient relativement le coût de la
mise en scène et permettaient d'envisager les représentations dans
un petit théâtre.

Nous verrons plus loin qu'*Eleutheria* annonce l'œuvre postérieure de Beckett, mais que par certains aspects elle ressemble davantage que *Godot* au théâtre de son temps. Elle a même été longtemps
perçue, à tort, comme une pièce « réaliste » ; à ce titre, elle déran-
geait donc moins les habitudes de ses premiers lecteurs. Blin a fait
le choix de *Godot,* mais il n'hésite pas à dire qu'il « n'avait pas tout
compris à la première lecture, notamment la répétition du deuxième acte », même s'il s'affirme immédiatement séduit par
« l'humour et la provocation du texte ». (*Souvenirs et propos* de
Roger Blin recueillis par Lynda Peskine.)

Il envisage la production de *Godot* malgré la résistance de ceux
qui l'entourent ; ses amis et ses associés, auxquels il fait lire la pièce,
lui répondent qu'ils « n'y comprennent rien ». Tous les directeurs
de théâtre consultés lui rient franchement au nez. Mais une part de
hasard et beaucoup d'obstination décident de l'avenir immédiat
d'une pièce, indépendamment de tout comité de lecture et de l'opinion du cercle des connaisseurs.

Blin est un comédien et un metteur en scène qui prend des
risques et qui a fait des créations toute sa vie ; il est de l'étoffe des
« découvreurs d'auteurs ». Il se montre d'abord sensible à la dimension théâtrale du texte et, comme il le dit, à sa « provocation ». La
notoriété actuelle de la pièce, les commentaires philosophiques qui
l'ont rendue célèbre, risquent de faire perdre de vue que ce sont les
qualités proprement scéniques de l'œuvre qui ont d'abord convain-
cu le metteur en scène.

Les premières occasions de production se heurtent à des difficultés matérielles, liées à la distribution ou au décor. L'absence de rôle

féminin est un handicap majeur pour certains directeurs de salles. Dans le cas du Théâtre de Poche, où il est question que la pièce soit jouée, l'exiguïté de la scène rend difficile la présence de l'arbre, ce qui aurait éliminé d'emblée le seul décor, pourtant essentiel.

Blin s'obstine en commençant à travailler plutôt qu'en espérant d'emblée convaincre des producteurs. Il choisit des acteurs et se met à répéter, sans trop d'illusions, chez lui ou dans des salles de hasard, avec l'espoir qu'un directeur de théâtre finira par se manifester. Il rencontre Beckett, qui ne montre guère d'optimisme :

> « Beckett suivait d'un air assez désabusé mes démarches et ne croyait pas trop à l'issue de cette affaire. Je crois qu'à cette époque je me suis beaucoup démené et que j'ai lutté contre ma paresse naturelle avec violence [...]. Je n'avais pas un sou, pas de théâtre [...]. Je ne pouvais qu'attendre que quelqu'un se décide à recevoir la pièce. C'est Jean-Marie Serreau, qui dirigeait le Babylone en faillite, qui a accepté d'augmenter sa faillite en nous invitant. Il m'avait dit à cette époque : "Je vais fermer boutique, autant finir en beauté." » (*Souvenirs et propos* de Roger Blin recueillis par Lynda Peskine.)

La création au Théâtre de Babylone

Jean-Marie Serreau, qui dirige le théâtre depuis 1951, est surtout un metteur en scène, amateur de textes nouveaux et homme à courir des risques. Sa salle est un ancien magasin transformé en théâtre, d'une capacité de plus de deux cents places et équipé d'une petite scène. Il pousse Roger Blin à solliciter une aide à la première pièce auprès des Arts et lettres, puisqu'il s'agit d'un texte écrit en français et non d'une traduction. Ils obtiennent au titre « de l'avant-garde » ce que Blin appelle « la part du pauvre », cinq cent mille francs de l'époque, et l'appui inconditionnel de Georges Neveux, membre de la Commission d'attribution de ces subventions.

Pendant ces tribulations, qui durèrent plusieurs années, des comédiens qui avaient commencé à répéter s'étaient lassés. Blin finit par s'attribuer le rôle de Pozzo. Il propose le rôle de Lucky à Jean Martin, qui lui plaît par son physique d'acteur grand et efflan-

qué. Lucien Raimbourg est pressenti depuis longtemps pour jouer
Vladimir :

> « Raimbourg était un personnage extraordinaire. Il avait de très
> grands yeux bleus délavés, un profil à la Jouvet. Il chantait dans les
> cabarets et il était très très petit. Il ne pouvait que jouer Vladimir
> et j'ai proposé à Pierre Latour, un vieil ami à moi, de jouer
> Estragon. Latour était très bien. Il avait un visage carré, une belle
> voix grave, il était très costaud, et de son personnage se dégageait
> une sorte de dignité formidable. » (Roger Blin, dans *Souvenirs et
> propos*.)

Au-delà de l'anecdote, on comprend que Blin a voulu faire appel
à des acteurs rompus aux techniques du cabaret : c'était ceux qui
pouvaient le mieux assumer cette dimension théâtrale de la pièce.
Dumur raconte que Raimbourg avait été découvert par Blin dans
un cabaret de Pigalle et que, avec sa voix un peu voilée des gens qui
ont trop fumé ou trop veillé, « il avait l'air d'être né, d'avoir vécu
jusque là seulement pour jouer *Godot*. »

Blin s'explique longuement sur ses choix de mise en scène. Il est
passé par la tentation inévitable de faire appel à l'univers du cirque,
à laquelle succombèrent d'autres metteurs en scène par la suite. Il
songe un moment à reproduire « une piste de cirque avec au fond
une toile figurant le ciel ». Il aurait ainsi inscrit d'emblée la dimension de « jeu dans le jeu » du texte, faisant arriver en scène des
artistes de cirque qui se seraient mis à jouer *En attendant Godot*.
Mais il se rend compte que ce choix ne conviendrait pas au deuxième acte. Avec le recul, il s'amuse de toutes les interprétations que la
pièce a provoquées, soulignant pour sa part que l'ambiguïté est
caractéristique des grands textes de théâtre :

> « C'est un texte extraordinairement riche et généreux et chacun a
> choisi de voir ce qu'il voulait voir, mais tous ont ri et tous ont été
> émus, et c'est cela que nous voulions. Je crois que c'est essentielle-
> ment ça le travail que nous avons fait pendant le travail des répéti-
> tions : trouver le dosage entre le rire et l'émotion, ne tomber ni
> dans la farce ni dans la chialerie. [...]
>
> Mais plus encore que les qualités littéraires et dramatiques du
> texte, ce qui m'a excité c'est ce don que possède Beckett de la pro-

vocation.[…] J'ai eu le sentiment, en lisant *Godot,* que cette pièce allait foutre en l'air beaucoup de choses dans le monde du théâtre. […] Je suis toujours excité par la perspective de faire chier.[…] Mes motivations sont de l'ordre de quatre-vingt-dix pour cent pour la valeur de la pièce et dix pour cent pour sa force provocatrice. Avec *Godot* j'étais persuadé que nous allions secouer beaucoup de gens, et en particulier les auteurs dramatiques de l'époque, les directeurs de théâtre et une partie du public. Que le spectacle ne pourrait plus désormais être ce qu'il était : une mare saumâtre. La psychologie, le romantisme, le sous-brechtisme, à la poubelle ! Bien Sûr, *Godot* a été récupéré par les humanistes de tout poil. Mais cette pièce a changé l'état du théâtre, et c'est cela qui compte. » (*Souvenirs et propos.*)

Beckett, avec son humour particulier, rencontre donc un peu par hasard un metteur en scène qui est sensible à la modernité de la pièce et à son caractère de provocation, et qui montera *Les Nègres* et *Les Paravents* de Genet, entre autres entreprises aventureuses.

Cette rencontre était d'autant plus importante que tout nouveau texte subit fortement les conséquences de sa création. Si elle est mal montée la première fois, une pièce de théâtre s'en remet difficilement. Peu de spectateurs, ou même de critiques, prennent le temps de lire ou relire le texte pour vérifier leur sentiment. La mise en scène et le texte se confondent dans l'esprit des spectateurs, et il est impossible ensuite de faire la part des choses et de revenir sur les premières impressions.

Godot, comme tous les textes de Beckett, comporte des indications scéniques très précises, difficiles à ne pas respecter, tant elles sont étroitement liées aux discours. Comme toujours, ce « respect » ne suffit pourtant pas à faire une bonne mise en scène. Il semble que Beckett, sourcilleux jusqu'à l'obsession dans la suite de sa carrière sur la façon dont ses textes seront montés, a bénéficié avec Blin d'une rencontre déterminante, d'un metteur en scène préoccupé par l'écoute du texte et par le ton nouveau qu'il y entendait. Les premières images d'*En attendant Godot* au Babylone allaient prendre une importance qu'aucun des intéressés ne pouvait imaginer.

De l'édition au succès

Il n'est jamais simple de faire publier un texte de théâtre, surtout s'il n'est pas encore monté et s'il ne profite pas au moins d'une sorte de publicité liée à la création. *En attendant Godot* bénéficia d'un nouvel hasard bénéfique, la rencontre capitale entre Beckett et un jeune éditeur, Jérôme Lindon.

Lindon raconte que, lorsqu'il entendit parler de Beckett par un de ses amis, six éditeurs avaient déjà refusé les textes de celui-ci. Pourtant, dès qu'il découvre *Molloy*, il se passionne pour le livre et décide de publier les trois textes déposés par Suzanne, sentant, comme il le dit, qu'il était peut-être en train de devenir là un « vrai éditeur ». Les événements lui donneront raison puisqu'il publiera par la suite aux éditions de Minuit tous les textes de Beckett avec le succès que l'on sait, et qu'il continuera à prendre des risques en éditant d'autres auteurs inconnus.

Godot, terminé en 1949 après quelques mois de travail, est publié en octobre 1952, peu avant la création de la pièce.

Les témoignages sur l'accueil du spectacle sont contradictoires. Il semble que la générale fut reçue avec enthousiasme, et que les représentations qui suivirent furent davantage contestées. Pouvait-il en être autrement, face à un événement qui mettait sérieusement en cause la façon de concevoir le théâtre et qui, dans sa relation immédiate au spectateur, pouvait passer pour de la provocation pure ?

Beckett, aux dires de Roger Blin, assistait peu aux répétitions. Il n'était pas venu à la première, et par la suite il a rarement assisté aux représentations publiques de ses œuvres. Retiré dans sa petite maison de Seine-et-Marne dès la fin des répétitions, il a cependant été informé d'un événement survenu pendant « la couturière », une des dernières répétitions consacrée aux costumes. Latour, qui jouait Estragon, n'avait fait qu'esquisser timidement le geste de perdre le pantalon du personnage à la fin du spectacle, malgré la volonté du metteur en scène et de l'auteur. Beckett envoya une lettre comminatoire à Blin : « Il faut absolument que le pantalon d'Estragon tombe jusqu'aux pieds. » Ce qui fut fait. Au-delà de l'anecdote, Beckett tenait à ce que la dernière scène, qui risquait de faire naître trop d'émotion, fût contredite par un gag. Ce fut le premier exemple d'une série d'interventions de l'auteur dans les différentes mises en scène de son œuvre. Apparemment en retrait pendant les répétitions, il s'est toujours montré attentif à des détails qui risquaient de modifier gravement sa conception de la pièce.

Nul ne sait ce qu'en pensèrent les premiers spectateurs, davantage préoccupés par l'interminable attente de Godot. Geneviève Serreau raconte dans *Histoire du « nouveau théâtre »* les réactions des spectateurs :

> « La salle était pleine mais presque chaque soir un petit peloton exaspéré quittait le théâtre après l'entracte ou, plus souvent, pendant les premières répliques du second acte. Avaient-ils cru, espéré que les choses allaient (enfin) changer, qu'il se passerait (enfin) quelque chose ? Ils s'apercevaient rapidement qu'il n'en serait rien. [...] Le pire était lorsque les spectateurs irrités restaient dans la salle afin de manifester leur hargne. Très vite deux camps se formaient dans le public et le bruit de la salle couvrait celui de la scène. Un soir, on en vint aux mains pendant l'entracte et il fallut séparer les combattants qui se hurlaient de confuses injures. »

Malgré tout, le succès vint et, au bout d'une dizaine de représentations, « le bruit courut dans Paris qu'il se passait quelque chose au 38 Boulevard Raspail », se souvient Roger Blin. *Godot* fut joué pendant six mois et toute la saison suivante. Il fallait ajouter des chaises pour les spectateurs en surnombre. La pièce soutint pendant un an le théâtre de Babylone en faillite.

La suite ressemble à une belle histoire. Les Anglais demandèrent à Beckett une traduction qui fut montée à Londres. À l'invitation d'Hubert Gignoux, le spectacle de Blin fut présenté à Strasbourg, puis en tournée en Allemagne avant d'être repris au Babylone. Blin lui-même remonta *Godot* en allemand à Zurich, puis en 1956 en Hollande, en 1965 au Grenier de Toulouse. Une reprise eut lieu en 1956 au Théâtre Hébertot, en 1961 à l'Odéon-Théâtre de France, en 1970 au Théâtre Récamier. Blin commente ainsi ces représentations :

> « J'ai plus ou moins repris tout ce que nous avions trouvé à l'époque du Babylone. Je me suis rendu compte qu'il me suffisait de transposer nos petites trouvailles dans le grand théâtre de l'Odéon. Cela tient au fait que nous avions, malgré le petit espace, veillé à respecter la respiration de la pièce. » (*Ouv. cit.*)

En 1978, Blin la monte à nouveau, cette fois pour la Comédie-Française, consécration suprême pour un texte contemporain, avec Michel Aumont et Jean-Paul Roussillon.

Malentendus autour d'un succès

« La prochaine fois, il n'y aura plus aucune concession…les gens n'attendront pas cinq minutes pour quitter leur fauteuil », déclare Beckett avec humour. Blin lui fait écho : « Pour que ça marche comme ça, j'ai dû faire une erreur quelque part… » (cités par G. Serreau, *ouv. cit.*)

Il est difficile de déterminer les raisons d'un succès. *Godot* a bénéficié d'une conjoncture favorable : l'apparition simultanée de plusieurs nouveaux auteurs, très vite rassemblés par la critique, en dépit de leurs différences, sous l'étiquette commune « d'avant-garde » ou de « théâtre de l'absurde ». Un événement et une dynamique suivirent. Les débats idéologiques et philosophiques de l'époque, sur lesquels nous reviendrons lors de l'analyse détaillée de l'œuvre, entraînèrent des polémiques.

Pour le spectateur qui découvrait la pièce, soit il n'y avait « rien à comprendre » face à une épure qui faisait « vaciller le théâtre », soit bien trop à commenter, dès lors qu'il entrait dans des projets d'analyse philosophique. Les interprétations se multiplièrent.

Beckett a toujours refusé celles-ci et les étiquettes l'ont souvent exaspéré. Il ne peut cependant échapper à toutes les spéculations autour de *Godot*, dont la dimension de provocation met en question le théâtre traditionnel et relance le débat d'idées. Il prend plaisir à multiplier les fausses pistes tout en jouant sur un arrière-plan religieux dont nul ne savait s'il fallait le prendre au sérieux ou le considérer comme une énorme farce. Théâtre noir, théâtre métaphysique traitant de l'homme perdu dans l'attente de la mort, théâtre décadent refusant toutes les valeurs positives, ou théâtre chrétien traitant de l'homme en quête de Dieu, chacun finissait par trouver son compte ou son mécompte dans une œuvre ouverte et offrant peu de repères aux analystes. Les souvenirs douloureux de la guerre, le nazisme, les camps d'extermination des juifs ou la bombe d'Hiroshima engageaient à des lectures pessimistes ou proprement kafkaïennes de la condition humaine.

Roger Blin souligne qu'il avait cherché à équilibrer sa mise en scène en alternant les moments sombres et les moments désopilants d'humour ravageur. Les commentaires ne manquaient pas à la sortie des représentations. Il était urgent de qualifier ce « rien », de donner du sens à ce vide, de fermer cette œuvre qui pouvait paraître trop ouverte. Blin raconte sous forme d'une boutade qu'une lady, à la sortie d'une soirée londonienne, se serait exclamée : «J'ai compris, Vladimir et Estragon c'est l'Angleterre et la France qui ne peuvent plus se supporter, mais qui sont obligées d'être alliées. Pozzo et Lucky, c'est la Russie soviétique qui tient en laisse la Tchécoslovaquie, la Bulgarie, etc. C'est simple. » (*Souvenirs et propos.*)

Godot doit sans doute aussi sa réputation à ce jeu des interprétations. L'œuvre est si fertile en gags de tous genres, elle joue tellement sur la dérision de lieux communs philosophiques et métaphysiques que, outre le parfum de scandale attribué aux « nouveautés » de « l'avant-garde », une partie de sa renommée lui vint de là : il fallait avoir vu et « compris » *En attendant Godot*.

En attendant Godot et ses mises en scène

Un grand texte de théâtre gagne à la rencontre de « sa » première mise en scène, mais il trouve sa véritable dimension quand il échappe aux images de la création qui lui restent longtemps attachées. Dans le cas de *Godot* il a fallu qu'il se débarrasse d'une sorte de « doxa de l'absurde » qui risquait de l'enfermer dans un sens univoque et dans une conception trop étroite de la représentation.

Bernard Dort, universitaire et critique de théâtre qui a beaucoup œuvré pour la découverte de Brecht en France, se souvient d'avoir assisté à une des premières représentations de *Godot*, en compagnie d'Arthur Adamov. Il revient sur les réserves qu'il émettait alors :

« J'avais lu *Molloy* et la pièce me confirma dans mon admiration pour l'écrivain. Toutefois, je demeurai perplexe devant la représentation. Elle me sembla somme toute trop transparente. trop univoque. Seul, le « quadrille » entre Vladimir, Estragon, Pozzo et Lucky me combla : c'est que, écrivais-je alors, la scène y redevenait « le lieu d'une action multiple » où un « jeu » s'institue entre les personnages et « sous le regard d'un spectateur appelé à comprendre ». En revanche, la linéarité des échanges entre Vladimir et Estragon sur cette scène presque vide, décorée seulement de l'arbre dessiné par Giacometti, me parut aller à l'encontre de cette polyvalence que j'attendais du théâtre. » (« L'acteur de Beckett, davantage de jeu », *Revue d'esthétique*.)

Dort pose la question de l'évolution des mises en scène de Beckett et il s'interroge donc sur le problème du sens. La linéarité et la transparence qu'il critique, une sorte de trop-plein de sens univoque, ont engendré une manière « beckettienne » de mettre en scène qui s'est appliquée à d'autres textes et qui est vite devenue un maniérisme. C'est le tribut au théâtre que paient les grands textes, mais aussi à l'opposé, le signe de leur résistance à l'usure historique quand les metteurs en scène entreprennent de les « relire ». Dans le cas de *Godot*, on a cru longtemps qu'il était difficile de sortir des strictes indications scéniques et de l'image somme toute définitive des années cinquante. A l'époque, beaucoup d'interprètes, rappelle Dort, sont allés vers une sorte de « degré zéro du théâtre », vers une version constamment « kafkaïenne » de la représentation. L'excès de dépouillement s'est inscrit contre le théâtre, les acteurs cherchant « ce point où, sur la scène même, le théâtre vacille et s'effondre » (*art.cit.*). Les personnages ont alors fini par perdre toute substance. Il fallut que les metteurs en scène et les acteurs retrouvent davantage de liberté pour que les spectacles regagnent de l'épaisseur et explorent de nouveaux réseaux de sens. Dort évoque ainsi Michel Bouquet jouant Pozzo dans la mise en scène de Krejca, inscrivant un personnage presque réaliste, « une sorte de P-DG social-démocrate... un juge ou un commissaire à la Chabrol » soudain saisi par de brusques accès de tension qui le rendent menaçant, « une machine à écraser et détruire les autres ».

L'indispensable renouvellement des images théâtrales, en accord avec l'évolution de la société, est l'enjeu perpétuel des mises en scène de ce texte.

Comme Beckett a plusieurs fois mis lui-même en scène ses textes, on peut faire appel à son point de vue. Il a dirigé *Godot* au Schiller-Theater de Berlin en 1975. Ruby Cohn en a fait l'analyse, soulignant qu'il s'agissait de montrer que « les personnages de Beckett font des manœuvres à travers l'espace pour tuer le temps » :

> « Le texte doit [...] trouver son équilibre dans une mise en scène d'un formalisme appuyé. C'est l'opinion de l'auteur de la pièce, Samuel Beckett, et cela a été le principe du metteur en scène Samuel Beckett. » (*Travail théâtral*, n° 20, 1975.)

Dans les notes de mise en scène et le compte-rendu de Ruby Cohn, on s'aperçoit ainsi que Beckett n'hésite pas à imposer des coupures à son texte, à changer des points de détail. Ces modifications ne vont pas toujours dans le sens d'une plus grande transparence ; Beckett, au contraire, brouille davantage certaines pistes quand elles semblent trop vite acquises. Par exemple, dans le deuxième acte, quand Vladimir demande au garçon si la barbe de Godot est blonde ou brune, Beckett a changé cette question en « Blonde...*il hésite*...brune...*il hésite*...ou rousse ? ». Par ce bref ajout, qui lie de manière lointaine Godot et l'Anglais au bordel, Beckett accentue un effet comique qui fait pendant au trop-plein de sérieux qui aurait pu gagner la pièce.

Le spectacle de Beckett, aussi « souple et harmonieux » qu'il fût, allait cependant dans le sens d'une mise en lumière des structures formelles. D'autres, depuis, ont renouvelé l'image de *Godot*, lui apportant une autre modernité en l'éloignant progressivement de la vision très épurée des années cinquante. Les grandes œuvres de théâtre deviennent des « classiques » quand elles sont ainsi exposées aux lectures successives qui confirment à quel point elles sont riches de possibilités, et quand elles révèlent d'inépuisables réseaux de sens qui les donnent à entendre en fonction de la sensibilité du temps.

L'œuvre et l'auteur

I. Une vie « sans intérêt » consacrée à l' écriture

Il est paradoxal de se pencher sur la vie de Samuel Beckett, tant celui-ci se méfie des analyses et des curiosités qui débordent la stricte relation à son œuvre. Il affirme que « son existence est terne et sans intérêt » et que « les professeurs en savent plus que [lui] sur elle », selon des paroles rapportées par sa principale biographe, l'américaine Deirdre Bair, dans un imposant volume qui étudie pourtant la vie de Beckett au microscope (*Samuel Beckett*, Fayard, 1979). « Dans tout notre siècle, on aurait peine à trouver un autre écrivain qui eût ainsi vécu à travers son art au point d'en faire la substance même de sa vie », ajoute-t-elle à propos d'un homme qui a pourtant horreur que l'on s'intéresse à sa personne, affirme avec une sincérité passionnée que « l'œuvre seule importe », et termine son roman *Murphy* par : « Honni soit qui symbole y voit », au cas où le lecteur y chercherait on ne sait quel mystère.

La vie de Beckett traverse une grande partie de notre siècle et se trouve liée à quelques unes de ses personnalités majeures. La figure de cet Irlandais énigmatique, élevé dans un strict protestantisme, qui écrit comme pour échapper à la mort, en dehors des sphères officielles de la littérature, et très tôt dans une langue qui n'est pas la sienne, provoque pourtant la curiosité. Même l'immense succès de son œuvre, couronnée par le prix Nobel, ne parviendra pas à le sortir de son projet d'anonymat et de l'apparente banalité derrière laquelle il se réfugie en dehors de l'acte même d'écrire.

Les premières années sans histoires

Samuel Beckett est né le 13 avril 1906 à Foxrock, dans la banlieue sud de Dublin. Il est issu d'une famille protestante aisée. Son père est « métreur vérificateur » ; sa mère, une femme pieuse, élève déjà un fils, Frank, de quatre ans l'aîné de Samuel. Selon Beckett, une enfance heureuse et banale :

> « … sans histoire. On peut dire que mon enfance a été heureuse et pourtant j'étais peu doué pour le bonheur. Mes parents ont fait tout ce qui pouvait rendre un enfant heureux. Mais je me sentais souvent seul. On nous a élevés comme des quakers. Mon père ne me battait pas, ma mère ne s'est pas enfuie de chez nous. » (Alec Reid, *The Reluctant prizeman*, cité par Deirdre Bair.)

À quatorze ans il est envoyé à la « Portora Royal School » en Irlande du Nord, où se trouve déjà son frère et où Oscar Wilde fit ses études. Élève moyen, il s'illustre surtout dans les activités sportives.

Trois ans plus tard, il entre au « Trinity College », connu comme foyer éducatif et spirituel protestant. Il se spécialise en français et en italien. Il a pour enseignants Luce, spécialiste de Descartes et de Berkeley, et Rudmose-Brown, grand connaisseur de la littérature française, ami de Valéry Larbaud et de Léon-Paul Fargue. Beckett lit Dante avec passion et s'introduit dans le cercle des intellectuels dublinois. C'est là qu'il commence aussi à s'intéresser au théâtre, qu'il fréquente le Queens Theatre et l'Abbey Theatre. Dans les années vingt, les Dublinois se flattent d'avoir une vie théâtrale égale à ce que Londres peut offrir. Beckett admire les textes d'O'Casey, dramaturge irlandais de tendance réaliste. Il découvre avec beaucoup d'intérêt le théâtre de Pirandello, dont on trouve peut-être l'écho lointain dans *En attendant Godot*. C'est également l'époque où il commence à fréquenter régulièrement les *pubs*.

En 1926 et 1927, à vingt ans, il voyage en France et en Italie, découvre les châteaux de la Loire et Florence. Avec, entre autres, son ami Alfred Péron, normalien nommé pour deux ans lecteur au Trinity College, il invente un canular sous la forme d'un mouvement littéraire fictif d'avant-garde, « le concentrisme de Jean du Chas ». En décembre 1927, il est Bachelor of Arts, reçu premier aux examens de fin d'études.

La vie et l'œuvre de Beckett

1906   13 avril, naissance de Samuel Beckett à Foxrock, dans la banlieue sud de Dublin.

1928   Part en octobre pour Paris, où il est nommé pour deux ans lecteur à l'École normale supérieure.

1930   Écrit « Whoroscope », puis *Proust* (publié en 1931).

1933   Écrit les nouvelles qui constitueront *More Pricks Than Kicks* (publié en 1934). Part à Londres après la mort de son père.

1935   Écrit *Murphy* (publié à Londres en 1938, puis en France en 1947).

1938   Rencontre la pianiste Suzanne Dumesnil qu'il épousera plus tard.

1941   Participe en France aux activités d'un groupe de résistance.

1942   Se réfugie avec Suzanne Dumesnil à Roussillon dans le Vaucluse. Écrit *Watt* jusqu'en 1944 (publié en 1953).

1945   *La Peinture des Van Velde, ou Le Monde et le pantalon.*

1946   Revient à Paris. Écrit désormais en français. Un roman, *Mercier et Camier,* et une longue nouvelle, *Premier amour.*

1947   Écrit *Eleuthéria*, pièce toujours inédite.

1948   Finit *Molloy,* commencé en 1947. Écrit *Malone meurt.*

1949   Finit *En attendant Godot*; (publié en octobre 1952). Écrit *L'Innommable.*

1950   Écrit les treize *Textes pour rien.* Mort de sa mère en septembre.

1953   **Première publique, le 5 janvier, d'*En attendant Godot*.**

1954   Commence *Fin de partie,* qu'il achèvera en 1956.

1956   Écrit en anglais *All that Fall (Tous ceux qui tombent).*

1958   Écrit en anglais *Last Krapp tape (La Dernière Bande).*

1960   Écrit *Comment c'est*.

1961   Écrit *Happy days (Oh les beaux jours).*

1964   Écrit le scénario de *Film,* tourné par Alan Schneider et dont Buster Keaton est la vedette.

1966   Publication de *Comédie et actes divers.*

1967   Publication de *Têtes mortes.*

1969   Beckett, alors en voyage en Tunisie, reçoit le prix Nobel de littérature. C'est Jérôme Lindon qui accepte le prix.

1976   Publication de *Pour en finir encore et autres foirades*.

1978   Publication de *Pas*, suivi de *Quatre esquisses*, et de *Poèmes* suivi de *Mirlitonnades.*

1980   Publication de *Compagnie.*

1981   Publication de *Mal vu mal dit..* Compose *Quad.*

1984   Publication de *Catastrophe et autres dramaticules*.

1989   Publication du poème *Comment dire* et de *Soubresauts (Stirrings still).* Mort de Suzanne Beckett le 17 juillet. Mort de Samuel Beckett le 22 décembre.

1991   Publication de *Cap au pire.*

Beckett commence alors à enseigner. Rudmose-Brown, dont il est le protégé, le fait nommer professeur au Campbell College de Belfast. Il y travaille durant les premiers mois de 1928, s'y comportant avec un non-conformisme qui fait frémir les autorités collégiales. C'est ainsi qu'il lit à ses élèves, assis sur les pelouses, des poèmes jugés décadents.

En octobre, il part pour Paris où il est nommé pour deux ans lecteur à l'École normale supérieure, en prélude à un poste d'enseignant qu'il doit prendre plus tard au Trinity College. Il doit y faire une thèse sur Pierre-Jean Jouve. Cette installation à Paris est un tournant dans son existence. C'est pendant cette période qu'il commence à écrire.

Naissance d'un écrivain

Par le jeu de rencontres déterminantes et de voyages, au milieu d'hésitations entre Dublin et Paris, Beckett écrit des poèmes et des essais critiques, se met à des traductions.

Son activité à l'École normale supérieure lui laisse des loisirs. Il n'a qu'un étudiant en anglais, Georges Pelorson, auquel il donne des leçons dans des cafés. Il se lie d'amitié avec Tom Mac Greevy, un brillant Irlandais de dix ans son aîné qui enseigne à l'ENS.

Par l'intermédiaire de celui-ci, il fait la connaissance de James Joyce qui l'impressionne beaucoup. Presque aveugle, Joyce travaille alors à son immense œuvre, *Work in progress*, qui deviendra *Finnegans Wake*. Beckett rencontre également Ezra Pound. Ses relations avec Joyce se développent, il fait des recherches pour lui. Il travaille à un texte destiné à paraître sous forme d'une somme critique sur *Work in Progress*, intitulée *Dante... Bruno, Vico... Joyce*.

Après un été à Kassel chez sa cousine Peggy Sinclair, il travaille davantage pour son propre compte et abandonne sa thèse sur Pierre-Jean Jouve. Il écrit des poèmes et fréquente assidûment les bars de nuit.

En 1930, il traduit avec Alfred Le Péron la section centrale de *Finnegans Wake*, *Anna Livia Plurabelle*, qui servira plus tard à la propre traduction de Joyce. Mais il est exclu du groupe qui entoure le romancier pour avoir refusé les avances de Lucia Joyce, la fille de James. Il écrit un poème, « Whoroscope », inspiré de la vie de René Descartes, et remporte dans un concours le premier prix, de dix livres, et une édition en trois cents exemplaires.

Les années d'errance

Les années qui suivent sont marquées par des allers-retours entre Dublin et Paris. En septembre 1930, il retourne à Dublin où il enseigne au Trinity College en tant qu'assistant de Rudmose-Brown. Mais la vie dublinoise le déprime et l'enseignement l'ennuie. Il repart pour Kassel durant l'hiver 1931 et envoie sa lettre de démission de Trinity College. Il publie un essai sur Marcel Proust, intitulé *Proust*, ainsi que des poèmes dans *The European Caravan*.

De retour à Paris en 1932, il traduit en anglais « Le bateau ivre » d'Arthur Rimbaud, des poèmes de Paul Éluard, René Crevel et André Breton. Il redevient proche de Joyce à la faveur d'un acrostiche composé en l'honneur des 50 ans du maître. Sans ressource, en rupture avec sa famille et l'université, il écrit en quelques semaines son premier roman dont il tirera les nouvelles de *More Pricks than Kicks* publié à Londres en 1934. Le titre est le détournement de la formule biblique « Dont kick against the pricks » ; On peut le traduire par : « Il ne faut pas regimber contre les aiguillons » mais aussi par : « plus de pénis (ou d'érections) que de coups. » Le livre est favorablement accueilli par la critique.

Fuyant une vague xénophobe sévissant à Paris à la suite d'un attentat contre le président Paul Doumer, Beckett s'est rendu à Londres puis à Dublin, où il vit chez ses parents dans une atmosphère lourde. Après la mort de son père en juin 1932, il fuit sa mère à Londres où il survit avec l'argent de l'héritage. Il retourne parfois en vacances. Elle lui reproche de ne pas chercher de travail, critique sa tenue vestimentaire relâchée. Il semble alors malheureux à Dublin : des angoisses et des terreurs nocturnes l'envahissent. Il traverse de nombreuses crises d'incertitude.

Il se réinstalle pourtant à Dublin, qu'il redécouvre avec bonheur en 1935. Il suit une psychanalyse. Lors d'une conférence de Jung à Londres, il entend parler d'une petite fille qui « refusait d'être née » et découvre, dit-on, la clé de ses relations problématiques avec sa mère. Il compose *Murphy* et boit toujours beaucoup.

Après un bref séjour à Nüremberg où il fuit une réunion de nazis, il rentre à Paris en 1937 pour s'y installer définitivement. Il se lie avec des artistes comme les frères Van Velde, rencontre Marcel Duchamp et Alberto Giacometti. Il a une liaison avec Peggy Guggenheim, s'enivre dans les cafés de Saint-Germain et de Montparnasse. Il commence à écrire des poèmes en français.

Au matin du 7 janvier 1938, Beckett est agressé par un proxénète qui lui plante son couteau dans la poitrine. Une pianiste rencontrée jadis à l'ENS, Suzanne Dumesnil, alertée par les journaux, se rend à son chevet. Ils se marieront par la suite. James Joyce lui rend visite, Peggy Guggenheim renoue avec lui et dira de Suzanne Dumesnil : « Elle faisait des rideaux pendant que je faisais des scènes.»

Murphy, le premier roman de Beckett, est publié à Londres en 1938. De son côté, Joyce met la dernière main à *Finnegans Wake*, qui enthousiasme Beckett. Il s'installe dans un appartement du quatorzième arrondissement parisien où il vivra jusqu'en 1961.

La guerre le surprend en Irlande où il est allé voir sa mère. Il revient pourtant à Paris, disant : « Je préfère la France en guerre à l'Irlande en paix.» En juin 1940, il rejoint Toulouse et Cahors où il participe à la résistance et fournit des renseignements aux alliés sur les mouvements des troupes allemandes.

Beckett et Suzanne Dumesnil échappent de peu à la Gestapo et s'enfuient dans le Vaucluse, à Roussillon, au terme d'un mois de voyage difficile. Beckett y rédige *Watt*, le dernier roman qu'il écrira en langue anglaise : « Un simple jeu, un moyen de ne pas devenir fou, de garder la main », déclare-t-il. À partir de 1944, Sam participe au maquis du Vaucluse dirigé par le poète René Char. Il cache dans sa maison de la dynamite et des grenades et disparaît souvent plusieurs nuits d'affilée pour des opérations secrètes. On trouve des échos de ce séjour, qui dure jusqu'en 1945, dans *En attendant Godot* ; le Vaucluse est une des rares localisations géographiques précises du passé de Vladimir et Estragon.

Le village est libéré par les Américains en Août 44, le couple se réinstalle à Paris en avril 1945.

« Écrire pour s'appauvrir encore plus »

De la fin de la guerre au début des années 1950, Beckett écrit la plus grande partie de son œuvre, dans la pauvreté et sans savoir ce que lui réserve l'avenir. L'écriture lui est nécessaire :

> « À la libération, je pus conserver mon appartement, j'y revins et me remis à écrire – en français – avec le désir de m'appauvrir encore plus. C'est ça le vrai mobile. » (Cité par Ludovic Janvier dans *Beckett.*)

Il écrit la nuit et dort le jour, tandis que le couple vit sur les travaux de couture de Suzanne. De nombreux textes de cette époque ne seront connus que bien plus tard. *Les Cahiers d'art* publient un article intitulé *La peinture des Van Velde ou Le Monde et le pantalon.* Beckett rédige un roman en français, *Mercier et Camier,* ainsi qu'une longue nouvelle, *Premier amour,* qui resteront inédits jusqu'en 1970.

En 1947, l'accord qui le liait à Bordas, éditeur de la traduction française de *Murphy*, est rompu, tant l'insuccès commercial est grave. L'éditeur renonce à publier *Mercier et Camier* comme cela était prévu. Un premier texte de théâtre, *Eleutheria*, circule en manuscrit. Jean Vilar s'y intéresse, l'égare puis demande à Beckett – qui refuse – d'y faire des coupures. Pour vivre, il fait des traductions pour le *Reader's Digest.* C'est Suzanne qui, dès cette époque, commence à lui servir d'agent littéraire.

Dans le courant de 1948, il achève un nouveau roman, *Molloy.* Georges Duthuit, directeur de la revue *Transition,* publie des poèmes de Beckett et l'engage comme traducteur permanent. Il écrit *Malone meurt,* qui le plonge dans une dépression noire qui inquiète ses amis. L'automne lui pèse quand il n'a aucun roman en cours, et c'est peut-être pour cela, par « divertissement », qu'il écrit pour le théâtre, comme il le déclare en 1972 :

> « Je me suis mis à écrire des pièces pour me sortir de la dépression noire où me plongeait le roman. Ma vie à cette époque était trop éprouvante, trop affreuse. Je pensais que le théâtre ferait diversion ». (Cité par Deirdre Bair, *ouv. cit.*)

La première page du manuscrit français d'*En attendant Godot,* rédigé à Paris, est datée du 9 octobre 1948, la dernière du 29 janvier 1949. La pièce a donc été écrite assez rapidement ; elle sera corrigée durant toute la période qui précédera sa publication en 1952. Roger Blin aurait également proposé quelques modifications.

Beckett se remet ensuite à *Malone meurt* tout en vivant au sein du groupe très convivial de la revue *Transition.* Il y publie les *Three dialogues with Georges Duthuit,* sur l'œuvre de trois peintres : André Masson, Tal Coat, Bram Van Velde.

Il fait à nouveau un court séjour à Dublin afin de voir sa mère dont la santé est en danger. Elle meurt en 1950.

Ce sont les treize *Textes pour rien,* écrits en 1950, qui clôturent cette période.

Le succès inattendu

Il est difficile de dater précisément le début du succès de Beckett. Deux importants événements le mènent à avoir une audience publique : la mise en scène d'*En attendant Godot* en 1954 par Roger Blin, et la publication des romans par Jérôme Lindon, directeur des éditions de Minuit, à partir de 1951. Un contrat est signé le 15 novembre pour *Molloy, Malone meurt* et *L'Innommable.* La maison d'édition de Lindon est dans une mauvaise passe, mais il rachète pourtant les droits de *Murphy* à Bordas. Lindon s'engage à publier tous les textes de Beckett, et c'est ainsi que *Godot* paraît en octobre 1952.

Le succès de *Godot* ne se démentira pas. Beckett le traduit en anglais et le texte paraît à New-York en 1954. Il entreprend alors de traduire ses romans en anglais. Sa seconde pièce, *Fin de partie*, paraît aux éditions de Minuit en 1957 et les mises en scène se succèdent dans le monde entier.

En octobre 1969, le prix Nobel de littérature est attribué à Samuel Beckett alors en voyage en Tunisie. C'est Jérôme Lindon qui le reçoit à sa place.

En février 1975, *Godot* est joué à Berlin dans une mise en scène de l'auteur. De 1975 à 1982, Beckett écrit et met en scène des pièces pour la télévision. Il publie également des pièces radiophoniques. Le succès ne se démentira pas jusqu'à sa mort, le 22 décembre 1989.

En attendant Godot semble lui avoir ouvert les portes du succès. Jusque là, même s'il a déjà beaucoup écrit, Beckett est surtout connu des petits cercles intellectuels parisiens et irlandais ; on a lu de lui des poèmes à la radio, et une minorité de lecteurs très attentifs a découvert ses romans. Par un paradoxe plutôt rare, alors qu'il ne se destinait pas en priorité au théâtre, et qu'il semblait le considérer même comme marginal, c'est le théâtre qui va le faire connaître mondialement et de façon durable.

II. *En attendant Godot* et l'œuvre de Beckett

En compagnie de Dante et de Joyce

Rien ne prédispose vraiment Beckett à écrire pour le théâtre. Poète et traducteur de poèmes, amateur d'art, critique, romancier, le dramaturge s'éveille assez tardivement en lui. Il a 44 ans lorsqu'il termine *Godot* et il sort alors d'une période féconde d'écriture romanesque. Aucune influence directement repérable ne le pousse à se faire auteur de théâtre ; il entretient d'ailleurs avec la scène des relations étranges, au point qu'il prétend avoir écrit *Godot* pour « se délasser ». Les influences constitutives habituellement citées, celle de James Joyce, de René Descartes ou de Dante, ne sont pas directes. La raison de sa venue au théâtre, il faut davantage en chercher la trace dans son obsession du rapport de la conscience au monde, et dans la tentation de l'éclatement du moi en plusieurs figures distinctes qui se mettent à dialoguer.

Elle n'a évidemment pas pour origine l'influence de Joyce, même si Beckett a été fortement marqué par celui-ci :

« Oui, j'ai beaucoup travaillé pour M. Joyce. Je le crois l'un des plus grands écrivains qui soient et j'ai pour lui un respect énorme. J'ai la certitude que chaque lettre, chaque syllabe, chaque mot, chaque phrase, chaque paragraphe, chaque page, chaque chapitre de chaque livre avait un sens, car c'est ainsi que Joyce couchait ses idées sur le papier. Quant à moi, j'écris parce que je dois écrire – je ne veux pas dire pour gagner de l'argent, mais par nécessité personnelle. Je ne sais pas d'où me vient l'œuvre, et je suis souvent le premier surpris par ce que j'ai mis sur le papier. Écrire est pour moi un processus tout différent de ce qu'il était pour Joyce. » (Cité par Deirdre Bair, *ouv. cit.*).

Comment penser, en effet, à la lecture d'*Ulysse* (qui tente de décrire le plus totalement possible 24 heures d'une journée) ou de *Finnegans Wake* (un nombre incalculable de langues réunies au sein du même ouvrage) – les deux œuvres majeures de Joyce – que Beckett ait pu s'inspirer de manière visible du travail de Joyce dans ses propres textes ? Il y a entre les deux écrivains irlandais toute la distance qui sépare une écriture pleine, riche, débordante, au sein de laquelle s'exerce un narrateur omniscient, d'une écriture économe, lourde de silence, où un narrateur exprime, à la première comme à la troisième personne, doutes et inquiétudes. Des lectures comparées pourraient sans doute y trouver des passerelles ; ainsi, l'Irlande est très présente dans les deux œuvres, mais la comparaison semble s'arrêter là.

En revanche, l'influence de Dante est très forte sur Beckett. *La Divine comédie* lui tient compagnie, à la manière de ces ouvrages que l'on porte avec soi et qui nourrissent les textes que l'on écrit soi-même comme une lumière discrète, à peine visible, portée sur eux. On en trouve un signe plus précis à travers le personnage de Belacqua, cette âme du Purgatoire de l'écrivain italien, dont le péché est la paresse, et qui apparaît sous le nom de Belacqua Shua dans le récit qui ouvre l'ensemble des nouvelles de *More pricks than kicks*, « Dante and the Lobster » (Dante et le homard). François Bruzzo dans son *Beckett* cite un extrait de ce texte :

> « Il [Belacqua] se concentrait sur cette énigme et ne voulait pas s'admettre vaincu. Il voulait au moins comprendre le sens des mots, l'ordre dans lequel ils étaient prononcés et la nature de la satisfaction qu'ils conféraient au poète mal informé (c'est-à-dire Dante qui se met en scène dans son propre texte comme interlocuteur de Béatrice et dont il doit interpréter le discours).

> Si bien que, lorsqu'ils eurent terminé, il leva sa lourde tête pour faire des remerciements et rétracter formellement sa vieille opinion. »

« Être, c'est être perçu »

Beckett écrivit à 24 ans un ouvrage de commande sur Proust (*Proust*), publié en français seulement après sa mort. Il s'agit d'une petite étude sur le temps et la perception, ou plus exactement, comme le dit l'auteur au début du texte, sur « ce monstre bicéphale de damnation et de salut qu'est le Temps » dont « les créatures de Proust sont les victimes ». On y trouve quelques phrases qui marquent l'extrême importance de l'écriture proustienne pour l'œuvre ultérieure de Beckett, ou, inversement, la précoce préoccupation de Beckett pour le temps dont on retrouve l'écho dans *Godot* :

> « ... le monde est une projection de la conscience de l'individu... il faut sans cesse renouveler ce pacte, valider le sauf-conduit. Nous ne nous échappons ni des heures ni des jours. Pas davantage de demain que d'hier... Hier n'est pas un jalon que nous aurions dépassé, c'est un caillou de vieux sentiers rebattus des années qui fait partie de nous irrémédiablement, que nous portons en nous, lourd et menaçant. »

Il faut relier cette phrase à une formule que le philosophe irlandais du XVIIIe siècle, Berkeley, reprend à la scolastique médiévale et que Beckett adopte ouvertement : « *Esse est percipi* », c'est-à-dire « Être, c'est être perçu », que l'on peut entendre comme un écho du « *Cogito ergo sum* » de Descartes, à qui Beckett a dédié son premier poème. L'être, défini par sa conscience et sa perception, est au centre de son œuvre, et notamment de son œuvre théâtrale, dans la mesure où ce qui est donné à voir sur scène peut être compris comme la projection d'un espace intérieur. Mais son œuvre peut aussi s'analyser comme la recherche douloureuse du non-être, comme une plongée au cœur du silence par l'annulation progressive des relations entre la conscience et le monde. Cette formule, qui pourrait déjà s'appliquer à *En attendant Godot*, se retrouve encore dans *Film* :

> « *Esse est percipi.*
> Perçu de soi subsiste l'être soustrait à toute perception étrangère, animale, humaine, divine. La recherche du non-être par suppression de toute perception achoppe sur l'insupprimable perception de soi. Proposition retenue pour ses seules possibilités formelles et dramatiques. » (*Film*, cité par François Bruzzo.)

Selon Berkeley, comme l'être se constitue par la perception, il faut finir par admettre l'être comme objet de constitution de l'œuvre. Le solipsisme, c'est-à-dire l'attitude ou la doctrine philosophique selon laquelle le moi individuel dont on a conscience, avec ses sensations et ses sentiments, est toute la réalité, envahit l'univers beckettien. Dans ses romans, il passera ainsi de la troisième à la première personne, du narrateur à peine omniscient (presque confondu avec son personnage principal) au narrateur centré sur sa propre perception. De même, son théâtre avance vers un personnage unique, ou plutôt une vague conscience qui ne se maintient en vie que par le rapport ténu qu'elle conserve avec ce qu'elle perçoit du monde.

Le solipsisme est, chez Descartes, le premier moment de la méthode philosophique, celui du doute et de la mise en question radicale des évidences communes. Ce doute perpétuel gouverne toutes les entreprises de Vladimir et Estragon qui passent une partie de leur temps à vérifier par le langage toutes leurs entreprises à venir et qui interrogent de manière obsessionnelle tout ce qui se présente devant eux.

Le premier poème de Beckett, « Whoroscope », est précisément un hommage à Descartes. Le titre de ce texte de quatre-vingt-dix-huit vers est construit à partir des mots « horoscope » et « whore » (prostituée). Il y est question du petit-déjeuner du philosophe, qui mangeait une omelette d'œufs couvés huit à dix jours. Il y est question, surtout, du temps, à propos de la biographie de Descartes écrite par Adrien Baillet : « La navette d'un œuf en maturation tisse la chaîne de ses jours. »

> « L'œuf est à l'omelette ce que le je est au discours et/ou à la pensée. En d'autres mots, Beckett nous suggère que de même qu'on ne fait pas d'omelette sans casser des œufs, on ne peut pas parler et/ou penser sans effriter, dissocier, désintégrer le sujet. » (François Bruzzo, *Beckett*.)

Le personnage de théâtre est par essence doué de parole. Plus les personnages beckettiens s'exposent à la parole, plus ils ressassent et se perdent dans leurs propres discours. Pourtant, ils persistent à avoir besoin de la parole comme ultime signe de leur existence.

C'est à partir de ces différentes influences que l'écrivain Beckett s'est constitué. Les pensées de Descartes et de Proust sont sans doute davantage repérables dans son œuvre ; mais la compagnie de Dante et l'amitié au travail de Joyce, si elles sont moins audibles ou plus secrètes, ne sont pas pour autant négligeables. Il y a, parmi ces influences, quelque chose qui est de l'ordre de la pensée à l'œuvre dans les textes. Le sujet, en tant qu'il s'inscrit dans la langue, est au centre, au point de rencontre des influences qu'on a vues. Il est constitué par la pensée avec Descartes, par la perception avec Berkeley, confronté au temps avec Proust et révélé par la quête initiatique avec Dante. Il ne faudrait pourtant pas négliger l'humour particulier de Beckett et sa relation aux textes qui en font un romancier et dramaturge et non un philosophe.

Un auteur entre deux langues

Beckett a écrit indifféremment en anglais et en français, et il a régulièrement travaillé comme traducteur, ce qui lui donne une compétence particulière dans le domaine du langage : « Le devoir et la tâche d'un écrivain (pas un artiste, un écrivain) sont ceux d'un traducteur », écrit-il dans *Proust*.

Son activité de traducteur est en premier lieu une nécessité matérielle. Pourtant, elle révèle une rigoureuse proximité avec la langue, une grande intelligence du texte et surtout du poids des mots, de leurs sens exacts et de ce que « parler veut dire ». Cette compétence est capitale pour un écrivain de théâtre et explique peut-être en partie la netteté et la précision des discours de ses personnages, leur forme de « sécheresse » peu ordinaire. Un mot et sa bizarrerie phonétique pèsent sans doute davantage pour lui que pour d'autres auteurs, puisqu'il se trouve à la fois « étranger » à la langue et plus proche de celle-ci par les exercices de précision auxquels il se livre. Précision sémantique et pesage du mot, des sens qu'il engendre et possède, de sa sonorité aussi dans le cas de la poésie, sont quelques-unes des qualités du traducteur. Voici, à titre d'exemple, la première strophe d'un poème d'Éluard, « L'amoureuse », et sa traduction en anglais par Beckett :

> « *She is standing on my lids*   Elle est debout sur mes paupières
> *And her hair is in my hair*   Et ses cheveux sont dans les miens,
> *She has the colour of my eye*   Elle a la forme de mes mains,
> *She has the body of my hand*   Elle a la couleur de mes yeux,
> *In my shade she is engulfed*   Elle s'engloutit dans mon ombre
> *As a stone against the sky*   Comme une pierre sur le ciel. »

Traducteur des autres, Beckett l'est également de ses propres textes. Quand il écrit directement en français, il est littéralement « étranger » à son texte et, quand il le traduit, il le considère comme « étranger ». Dans les deux cas opère un « effet d'étrangeté » créé par ces va-et-vient d'une langue à l'autre.

Qu'il s'agisse ou non d'un écho direct de son statut de traducteur, on ne peut que constater la relation particulière que les personnages de son théâtre entretiennent avec la langue. Celle-ci est rare, précise et cependant assez peu étendue d'un point de vue lexical, comme si l'accès à la parole ne se faisait pas sans risques. Même ceux qui savent ce que parler veut dire s'exposent aux dangers de la langue, aux bizarreries et aux idiotismes du discours.

Quelques critiques ont souligné l'importance, d'un point de vue psychanalytique, que pouvait avoir eue pour Beckett l'abandon de la « langue maternelle », et ses conséquences probables sur son écriture. L'adoption de la langue française, ce langage que Moran, un personnage de *Molloy*, dit « avoir fini par comprendre », coïncide dans ce roman avec l'affirmation de la première personne. Que le sujet écrivain puisse dire « je » et s'affirmer dès lors en tant que sujet de l'écriture à part entière coïncide avec l'abandon de l'anglais, la langue maternelle, pour le choix de la langue française qu'il a comprise, fût-ce « de travers ». Voilà qui signale un écrivain enfin constitué véritablement.

À la question de la langue, Beckett donne des réponses diverses, ironiques ou sérieuses. Si, comme nous le verrons, l'écriture est pour lui au plus profond et au plus près de soi, l'abandon de la langue maternelle originaire permet sans doute une exploration de soi détachée des *a priori* contenus dans la langue.

Les écrivains français « n'ont aucun style, écrivent sans style, ils vous donnent la formule, l'éclat... peut-être que la langue française

est la seule capable de´vous donner ce que vous écrivez », dit
Beckett, cité par Deirdre Bair.

L'absence de style, ou plutôt le style détaché de ses ornements,
de ses fioritures, de ses coquetteries, le style rendu quasiment invi-
sible par un auteur, permet au sujet de se voir dans la langue, parmi
les mots étrangers. Cette langue française beckettienne est d'autant
plus intéressante qu'elle n'est pas totalement dépourvue de résidus
ou de souvenirs de la langue maternelle.

La conscience et l'acte physique d'écrire

Une question obsessionnelle traverse toute l'œuvre romanesque,
celle du corps, du fait physique d'écrire et de l'infirmité. Dans *En
attendant Godot*, on trouve l'équivalent de cette attention accordée
à l'acte d'écriture, dans la conscience qu'ont les personnages de la
représentation en train de se dérouler.

Ces thèmes apparaissent dans *Murphy*, le premier roman écrit
par Beckett, en 1935, publié à Londres en 1938 puis dans la traduction française de l'auteur en 1947. Cette fiction à la troisième
personne a pour héros Murphy, l'un des prénoms les plus répandus
en Irlande, le premier d'une lignée (Watt, Molloy, Malone,
Mercier...) qui, malgré les nouveautés et les différences, met en
œuvre un même corps et une même voix à travers les romans.

Dublinois sans famille, Murphy vit à Londres dans un petit
appartement, sorte de cage au fond d'une impasse promise à la destruction. Il répète quotidiennement les gestes de la quotidienneté,
comme le feront sur un autre mode les personnages de *Godot*
(« ... manger, boire, dormir, s'habiller, se déshabiller »). Il vit avec
une prostituée, Celia Kelly. Il y a dans la description physique de
Murphy des traits qui rappellent Beckett lui-même (« Les yeux
froids et figés comme ceux d'une mouette... »). Murphy aime à se
contempler. Il finira par mourir carbonisé, alors qu'il vivait dans le
froid, après avoir inventé un système de chauffage qui couple le gaz
au déclenchement d'une chasse d'eau, système qui sera malencon-
treusement actionné par un inconnu à la M.M.M.M. (Maison

Madeleine de la miséricorde mentale) où il doit surveiller les malades la nuit. Une question traverse le roman, la vieille dualité du corps et de l'esprit :

> « ... c'était seulement le corps apaisé qu'il pouvait commencer à vivre dans son esprit... Et le genre de vie qu'il menait dans son esprit lui faisait plaisir, un tel plaisir que c'était presque une absence de douleur. »

Il y a dans ce roman une obsession, « l'annexe spacieuse de l'aliénation mentale » ainsi que l'auteur le formule dans son *Proust*, celle du refuge dans la vie intérieure, du retrait de l'esprit par rapport au monde. C'est le Moi et la conscience qui préoccupent l'homme. La conscience est enfermée dans un corps inactif ; l'être est solitaire et souffrant face au monde :

> « L'esprit de Murphy s'imaginait comme une grande sphère creuse, fermée hermétiquement à l'univers extérieur. Cela ne constituait pas un appauvrissement, car il n'excluait rien qu'il ne renfermât en lui-même.[...] Cela n'entraînait pas Murphy dans le goudron idéaliste. Il y avait le fait mental et le fait physique, également réels sinon également agréables. »

Contrairement au théâtre, ce roman ne se distingue pas vraiment par une quelconque rupture formaliste ; de ce point de vue, il est même en retrait par rapport aux révolutions littéraires du siècle. C'est plutôt un style qui s'affirme, et l'apparition de la question obsessionnelle de l'obscurité, de ce qui est caché au plus profond de l'être, qui est à découvrir par l'écriture et constitue la raison même de son apparition. Au théâtre aussi « Ça avance », dira Hamm dans *Fin de partie*, conjuguant la sensation du temps qui s'écoule et celle du jeu théâtral en train de se construire, malgré le corps infirme ou à travers le corps souffrant.

L'affirmation du sujet parlant

Avec *Molloy*, écrit en 1947-1948 et publié en 1951, Beckett écrit directement en français et à la première personne. Cette introduction du « je » était sans doute déjà en germe dans *Murphy*, car per-

sonnage et narrateur y étaient, malgré l'usage de la troisième personne, dans une proximité qui annonçait ce passage. Cette fois, dès
les premières lignes de *Molloy*, la place de l'auteur- sujet s'affirme
sans équivoque :

> « Je suis dans la chambre de ma mère. C'est moi qui y vis mainte-
> nant. Je ne sais pas comment j'y suis arrivé. Cet homme qui vient
> ici chaque semaine, c'est grâce à lui peut-être que je suis ici. Il dit
> que non. Il me donne un peu d'argent et enlève les feuilles. Tant
> de feuilles, tant d'argent. Oui, je travaille maintenant un peu
> comme autrefois, seulement je ne sais plus travailler. Cela n'a pas
> d'importance, paraît-il. Moi, je voudrais maintenant parler des
> choses qui me restent, faire mes adieux, finir de mourir. Ils ne
> veulent pas. »

Le corps malade de l'écrivain se mêle ici entièrement à celui de
Molloy, le narrateur. Molloy, dont une des jambes est raide, cherche
la ville où vivait sa mère. Il y circule à bicyclette, puis, ayant renver-
sé le chien d'une vieille femme, se sauve à l'aide de béquilles et sort
de la ville sans s'en apercevoir, jusqu'au bord de la mer puis dans
une forêt. Il se déplace avec une difficulté croissante, finit par ramper. On le retrouve dans un fossé et on le transporte dans la
chambre évoquée au début du texte. Dans la seconde partie, le
détective Moran est chargé de l'affaire Molloy, qu'il doit retrouver.
Il part avec son fils avec lequel il finit par se disputer. Un matin,
Moran s'aperçoit que son fils a disparu, et il doit rentrer car l'affaire
Molloy est classée. Il passe un hiver à revenir. Une voix lui ordonne
de rédiger un rapport. Il s'exécute et le roman s'achève ainsi :

> « Mais j'ai fini par comprendre ce langage. Je l'ai compris, je le
> comprends, de travers peut-être. La question n'est pas là. C'est elle
> qui m'a dit de faire le rapport. Est-ce à dire que je suis plus libre
> maintenant ? Je ne sais pas. J'apprendrai. Alors je rentrai à la mai-
> son et j'écrivis. Il est minuit. La pluie fouette les vitres. Il n'était
> pas minuit. Il ne pleuvait pas. »

Langue étrangère, sujet constitué comme écrivain cherchant à
s'examiner par l'écriture, et thèmes de l'exil, de l'errance et de la
quête sont bien les trois éléments fondateurs de l'écriture beckettienne. Molloy cherche sa mère ; Moran cherche Molloy et nul ne
trouve ce qu'il cherche dans la forêt obscure (la « *selva oscura* » de
Dante). Dans une autre forêt, réduite à un seul arbre, Vladimir et

Estragon cherchent Godot et tournent en rond, Pozzo et Lucky errent pendant un aller-retour vers un énigmatique marché, reliés par une corde.

La quête que s'impose le personnage, celle du fond inatteignable de l'être, est stimulée par l'exil, le passage à un autre lieu, à une autre langue. Elle s'accompagne de l'errance (les méandres de l'écriture, l'absence d'une voie tracée) et d'une marche qui se dégrade. Dans les derniers textes de Beckett, la parole est de plus en plus maigre, comptée, tandis que le corps, lui, se fait immobile.

De l'écriture romanesque à l'écriture théâtrale

Le choix de l'écriture théâtrale sera une nouveauté importante pour Beckett. Il était conscient de ses enjeux quand il écrivait`, dans *L'Innommable* :

> « Ces Murphy, Molloy et autres Malone je n'en suis pas dupe. Ils m'ont fait perdre mon temps, rater ma peine, en me permettant de parler d'eux, quand il fallait seulement parler de moi, afin de pouvoir me taire. Ces gens n'ont jamais été que moi. »

L'évolution de l'écriture dramatique de Beckett ira de pair avec l'affirmation d'une conscience unique et d'une raréfaction de la parole, liée à l'immobilisation du corps.

> « Rentrons dit Camier. Pourquoi ? dit Mercier. Ça ne s'arrêtera pas de la journée, dit Camier. C'est une averse plus ou moins prolongée dit Mercier. Je ne peux pas rester debout, sans rien faire, dit Camier. Asseyons-nous, dit Mercier. C'est pire, dit Camier. Alors marchons de long en large, dit Mercier. Donnons-nous le bras et faisons les cent pas. L'espace est réduit, mais il pourrait l'être davantage. Pose là notre parapluie, aide-moi à me débarrasser de notre sac, voilà, merci, et en avant. Camier se laissa faire. Un deux un deux dit Mercier. Un deux dit Camier. »

Mercier et Camier, roman écrit en 1946 et publié en 1970, est à l'image de cet extrait, peuplé de dialogues. Comme si l'écriture dramatique s'instaurait dans le roman avant même la première pièce

écrite par Beckett en 1947, *Eleutheria*. Les pièces proprement théâtrales de Beckett (à l'exclusion des mimodrames et des pièces radiophoniques) installent ainsi des dialogues serrés, fonctionnant
comme en écho ou par rebonds entre des personnages qui semblent
dédoublés. Vladimir et Estragon, Pozzo et Lucky, dans *Godot*,
Hamm et Clov, Nagg et Nell dans *Fin de partie*, Winnie et Willie
dans *Oh les beaux jours* apparaissent comme autant de duettistes,
comme des images de couples qui ne jouissent pas toutes du même
statut mais bénéficient au moins de cette relation de « partenaires »
créée par la dépendance. La consonance de leurs noms est déjà le
signe de leur appartenance mutuelle ou peut-être des deux faces
réunies de la même conscience appelées à « converser » entre elles
ou à bénéficier d'une oreille attentive, d'une sorte d'écoute obligatoire liée à leur proximité.

C'est ainsi au terme d'une période féconde d'écriture romanesque que Beckett écrit *Godot* dont il parle « comme d'une mer-
veilleuse diversion libératrice ». Les thèmes de la pièce n'étant pas
fondamentalement différents de ceux des romans, même s'ils sont
organisés autrement, on peut se demander si le plaisir et le délasse-
ment dont parle Beckett n'est pas précisément dans ce travail du
dialogue, dans cette « relance » qui s'exerce entre plusieurs voix. En
accédant au théâtre, la question du statut de l'auteur et celle du
« Moi » parlant n'est plus tout à fait la même. Pourtant, l'écriture
de *Fin de Partie*, entre 1954 et 1956, publiée en 1957, fut beaucoup plus douloureuse :

> « J'écris quelque chose qui est encore pire, plutôt difficile et ellip-
> tique, comptant surtout sur la force du texte pour griffer, plus
> inhumain que *Godot* », dira alors Beckett.

Tout se passe comme si Beckett s'était permis dans l'écriture
théâtrale des écarts et une fantaisie qu'il s'interdisait dans le roman,
tout au moins dans un premier temps. *Eleutheria*, dont on a découvert tardivement l'importance en France par le numéro de la *Revue
d'esthétique* consacré au dramaturge en 1990, parodie une série de
formes dramatiques reconnues, faisant aussi bien allusion à *Hamlet*
qu'à *Six personnages en quête d'auteur* de Pirandello. « Pour un tour
d'horizon, c'est un tour d'horizon », s'exclame le personnage de
Vitrier, une sorte de régisseur. La pièce imbrique deux espaces dis-

tincts et pourtant juxtaposés (la chambre de Victor Krap et le salon de ses parents) et donc deux actions parallèles. Dans le premier, Victor ne fait « rien », « va-et-vient en chaussettes » écrit Beckett ; dans l'autre s'installe une intrigue apparemment réaliste, les parents voulant persuader Victor, « jeune écrivain qui a perdu le goût de vivre », de revenir à sa vie d'avant et, aussi, du point de vue de l'organisation de la pièce, d'entrer au sein d'une dramaturgie connue et fondée sur l'action.

Beckett joue avec les formes théâtrales existantes et avec un bric-à-brac de citations et d'effets dramatiques usant largement, comme nous le verrons aussi pour *En attendant Godot,* des procédés du théâtre dans le théâtre : il fait intervenir longuement un Spectateur qui se livre à une attaque en règle de la pièce et de son auteur au nom de ce qu'il faut faire au théâtre pour intéresser ses semblables.

Eleutheria fait coexister au sein du même texte l'héritage dramaturgique du jeune Beckett et son attirance intime pour le « rien », pour l'espace vide et l'absence d'action conventionnelle. On y voit donc clairement apparaître les caractéristiques de son écriture théâtrale personnelle, mais comme enchâssée dans l'appareil du théâtre réaliste dont il ne se débarrasse pas encore radicalement :

> « [...] On n'a pas compris le thème dramatique de la pièce, à savoir que le protagoniste Victor Krap ne peut exister dans l'environnement dramatique d'un salon d'Ibsen, qu'il lui faut la solitude d'un espace scénique vide : une solitude jusqu'alors inacceptable pour le public. On n'a donc pas saisi l'humour subtil et l'importance des éléments d'auto-analyse que Beckett nous offre dans cette pièce », écrit Dougald Mc Millan dans la *Revue d'esthétique.*

Dans ses premiers textes de théâtre, Beckett « écrit contre » ce qui existe, se réfère explicitement aux formes consacrées ; il n'y renonce pas encore, il les cite pour les parodier ou les brûler. Parallèlement, ses propres formes s'inscrivent en creux dans ce théâtre déjà reconnu.

Godot, Fin de Partie et *Oh les beaux jours,* moins clairement qu'*Eleutheria,* font appel aux traditions théâtrales et aux nécessités du spectacle, puisqu'il faut aller au bout de la représentation et agiter le leurre du « vieux théâtre » devant le spectateur. En parallèle se met en place une dramaturgie où le dialogue se fait plus rare, l'espace plus abstrait, la parole moins aisée. La routine du music-hall, les gags visuels, les jeux de mots et les bien bonnes histoires perdurent et masquent par intermittence l'appel du vide et la tentation du silence. Beckett rapetasse le traditionnel dialogue théâtral et multiplie les clins d'œil, tandis que réapparaît le risque du « rien ». Comme les romans, le théâtre est gagné par le soliloque, encore un peu masqué dans *Oh les beaux jours* par les facéties de Winnie et la présence discrète de Willie dans l'ombre, déjà présent dans les élucubrations du Lucky de *Godot*. Tous les éléments du retour de la conscience au centre de l'œuvre et la tentation du silence étaient présents dès *Eleutheria* :

> « Le droit de représenter un personnage qui n'est « rien » en termes conventionnels, ce droit est ici clairement exprimé. mais les méthodes dramatiques permettant d'en arriver là ne sont qu'esquissées. *Eleutheria* est une préparation : on vide le plateau. » (Dougald Mc Millan.)

Nous pourrions ajouter que cette évacuation du plateau n'est pas d'emblée achevée avec *Godot*. Pour que le « rien » soit perçu, Beckett maintient des lambeaux de théâtralité qui le mettent en évidence et l'inscrivent encore dans le contexte, de moins en moins apparent, de l'ancienne dramaturgie.

Vers le silence et l'immobilité

Plus l'œuvre – romanesque ou théâtrale – progresse, plus l'écriture de Beckett accède à une nouvelle dimension ; elle s'amaigrit et se raréfie vers toujours plus d'immobilité et de silence :

> « Dans mon dernier livre [*L'Innommable*] il y a une désintégration complète. Pas de *je*, pas de *avoir*, pas de *être*. Pas de nominatif, pas d'accusatif, pas de verbe. il n'y a pas moyen de continuer. La toute dernière chose que j'ai écrite – *Textes pour rien* – était une tentative pour sortir de cette attitude de désintégration, mais ce fut un échec. » (Cité par François Bruzzo, *Beckett*.)

Ce que Beckett nomme « désintégration » et qui est la difficulté croissante de l'écrivain à écrire (à être, avoir, à dire « je », à construire une phrase), correspond à l'immobilité de celui qui s'exprime dans le texte. Dans *Compagnie* (1985), cette difficulté se double de la description de l'immobilité du corps :

> « Ne reste donc que la prostration. Mais comment ? Prostré comment ? Comment disposer les jambes ? Les bras ? La tête ? Prostré dans le noir il s'acharne à vouloir voir comment il peut le mieux se tenir prostré. Comment prostré le mieux se tenir compagnie. » (*Compagnie.*)

La première personne s'efface, tandis que le corps s'immobilise. Il ne reste plus qu'une voix et la présence d'un autre, mais plus de corps, ou un corps qui se retire, impuissant, ne sachant plus qu'écrire son état statique :

> « L'emploi de la deuxième personne est le fait de la voix. Celui de la troisième celui de l'autre. Si lui pouvait parler à qui et de qui parle la voix il y aurait une première. Mais il ne le peut pas. Il ne le fera pas. Tu ne le peux pas. Tu ne le feras pas. » (*Compagnie.*)

Plusieurs textes pour la radio, ainsi que des « dramaticules » pour le théâtre, comme les appelle l'auteur, réunis sous le titre de *Catastrophe* aux éditions de Minuit, reflètent également cette raréfaction de la parole et cet effacement progressif du corps. Déjà, Hamm dans *Fin de partie* était immobilisé sur un fauteuil d'infirme tandis que ses parents n'apparaissaient périodiquement qu'en sortant la tête et le haut du buste hors de deux poubelles. Déjà, Winnie de *Oh les beaux jours* était comme partiellement enterrée dans un monticule l'empêchant de se déplacer. Les trois voix de *Comédie* appartiennent à des corps enfermés dans des jarres. Les personnages ultérieurs sont réduits à des bouches d'où sortent des bribes de paroles, à des consciences n'entretenant plus avec le monde extérieur que des relations minimales et cependant encore essentielles. *Berceuse* (1978) est un « dialogue » entre une « femme dans une berceuse » qui ne profère que quelques « Encore » et sa voix enregistrée. *L'Impromptu d'Ohio* rassemble un Entendeur et un Lecteur :

> « L (lisant). Il reste peu à dire. Dans une ultime -
> E frappe sur la table de la main gauche (toc).
> Il reste peu à dire.
> Un temps. Toc.

Dans une ultime tentative de moins souffrir il quitta l'endroit où
ils avaient été si longtemps ensemble et s'installa dans une pièce
unique sur l'autre rive. De l'unique fenêtre il avait vue sur l'extré-
mité en aval de l'Île des Cygnes. »

Dans tous ces textes il reste peu à dire et beaucoup à souffrir, et
pourtant une voix, parfois plongée dans l'obscurité, continue à se
faire entendre faiblement mais obstinément, comme s'il fallait par
cette « écriture » continuer à donner « signe de vie » et à maintenir
une relation, même des plus minces, avec le monde.

Par rapport à ces textes, *En attendant Godot* apparaît comme une
œuvre encore très marquée par le spectaculaire, et d'une théâtralité
encore manifeste. Tous les éléments que l'on retrouve dans les
textes ultérieurs y sont pourtant déjà présents. La parole y est parfois difficile ou douloureuse, les corps y souffrent de diverses infirmités, mais les personnages parlent et se déplacent, même s'ils
empruntent pour cela des mots qui ne leur appartiennent pas en
propre ou s'ils rusent avec leurs maladies pour que les corps conti-
nuent à fonctionner. Ils disposent d'un « autre » avec qui dialoguer,
même si cet « autre » ne les satisfait pas ou s'il leur ressemble
comme après un dédoublement.

La pièce n'est pas encore réduite à « l'essentiel », à ce qui apparaît
comme le trait dominant de la dramaturgie beckettienne, la relation au silence. Jusqu'au bout, « ça » parle et « ça » bouge encore,
pour mieux dire le silence et l'immobilité, parce que c'est en étant
réduit à « rien » que l'être humain souffre le moins. Ce projet du
cheminement vers le « rien » est inscrit dans *Godot*, (d'autant plus
que les personnages ont encore quelque chose à faire, ne serait-ce
qu'attendre), mais pour l'atteindre il faut aller au bout du temps de
la représentation, quitte à faire flèche de tout bois en empruntant
activités et discours aux dramaturgies existantes.

> « jusqu'au jour enfin
> fin d'une longue journée
> où elle dit
> se dit
> à qui d'autre
> temps qu'elle finisse
> *temps qu'elle finisse*
> finisse d'errer

de-ci de -là
tout yeux
toutes parts
en haut en bas
à l'affût d'un autre
d'un autre comme elle
d'un autre être comme elle [...] » (*Berceuse*)

Les grandes scènes
d'*En attendant Godot*

Beckett ne propose qu'une coupure dans *En attendant Godot*, puisque la pièce est séparée en deux parties qu'il nomme des « actes ». Un premier repérage dans le texte peut s'effectuer selon les normes de la dramaturgie classique, en fonction des entrées et sorties des personnages, ce qui donne pour chaque acte cinq scènes construites exactement selon le même système de duos, de trios ou de quatuors. S'ils facilitent la lecture, ces repères ne rendent cependant pas exactement compte d'un texte fondé sur la continuité des échanges, en dehors de cet « entr'acte » qui modifie les données de l'espace et du temps. C'est pourtant ce système de repérage que nous avons adopté pour examiner le déroulement de la pièce, quitte à revenir ensuite sur ce découpage purement technique.

I. Acte premier

Premier duo de l'attente

Parler pour que ça avance

Ce premier duo réunit les deux principaux protagonistes pour un dialogue d'une vingtaine de pages. *En attendant Godot* a la réputation d'être une pièce où il ne se passe rien. D'emblée, les deux premières répliques donnent les enjeux, autour d'une équivoque à propos du sens de « rien à faire » :

> « ESTRAGON *(renonçant à nouveau)*. — Rien à faire.
> VLADIMIR *(s'approchant à petits pas raides, les jambes écartées)* — Je commence à le croire. *(Il s'immobilise.)* J'ai longtemps résisté à cette pensée, en me disant, Vladimir, sois raisonnable, tu n'as pas encore tout essayé. Et je reprenais le combat. *(Il se recueille, songeant au combat. À Estragon.)* — Alors, te revoilà, toi. »

La réplique d'Estragon concerne sa chaussure qu'il essaie vainement d'enlever ; celle de Vladimir se place à un autre niveau, social ou métaphysique, puisque faire ou ne pas faire constitue un « combat ». Le « faire » de l'un relève d'une pratique quotidienne, terre à terre, celui de l'autre semble relever de l'interrogation philosophique d'un individu confronté au « rien ». Le croisement des deux répliques donne d'emblée le régime du texte, en confrontant le banal et le pompeux, le prosaïsme extrême et la déclaration trop grave pour être tout à fait honnête. Sans préliminaires inutiles, Beckett situe d'emblée les urgences des deux personnages, le même sérieux et les mêmes mots qu'ils utilisent renvoyant à une nécessité matérielle (il faut « faire » pour vivre et donc, par exemple, enlever ses chaussures) et à une règle métaphysique (le « rien à faire « ou le « quoi faire ? » du vide existentiel).

S'il s'agissait de l'« exposition » classique d'une pièce de théâtre, nous pourrions commenter l'action (enlever sa chaussure) et souligner sa minceur ; à l'autre extrême, nous pourrions souligner qu'un personnage au moins amène d'emblée une thématique élevée. La réunion des deux engendre la perplexité du lecteur qui ne sait pas encore où il en est.

Beckett tire le fil de ce dialogue où Vladimir tient l'emploi de raisonneur pendant qu'Estragon reste littéralement collé à sa chaussure. À cet effet, Vladimir accumule les conseils pratiques (« Il faut les enlever tous les jours »), les adages douteux (« C'est long mais ce sera bon. Qui disait ça ? »), les commentaires philosophiques à la manière du XVIIIᵉ siècle (« Voilà l'homme tout entier, s'en prenant à sa chaussure alors que c'est son pied le coupable ») ; il se réfère à la Bible et commente l'histoire des deux larrons du point de vue des quatre évangélistes. Il fait donc preuve de culture, dissertant à l'infini pendant qu' Estragon continue à « agir », c'est-à-dire à se battre avec sa chaussure. L'un semble être en charge de la parole, l'autre de l'action, jusqu'au moment où Vladimir vend la mèche en faisant appel à une règle non écrite du dialogue : « Voyons, Gogo, il faut me renvoyer la balle de temps en temps ». Il s'agit là d'une première information décisive. Perdus comme nous l'étions entre cette action insignifiante et cette parole se dévidant sans nécessité dans les méandres d'un discours métaphysico-religieux, nous pouvions nous demander dans quelle direction la pièce évoluait.

Si l'action avait une nécessité immédiate – soulager Estragon de sa douleur –, la parole semblait moins nécessaire puisqu'elle n'était reliée à aucune « intrigue », pas même à un projet repérable du point de vue du personnage. En demandant à Estragon de lui « renvoyer la balle », Vladimir dévoile d'un coup qu'il parle pour parler et qu'il a besoin d'un partenaire pour poursuivre l'échange de ping-pong verbal. Il ne parlerait donc pas pour convaincre ou pour agir, mais pour durer, sinon pour exister. Un tel aveu renvoie à un théâtre en train de se faire, au dialogue obligatoire de personnages

Résumé de *En attendant Godot*

Acte I

Vladimir et Estragon se retrouvent un soir, après une courte séparation, sur une route à la campagne, près d'un arbre. Ils attendent un certain Godot avec qui ils ont rendez-vous. Ils ne sont sûrs ni du lieu, ni du jour ni de l'heure de ce rendez-vous. Ils ne savent pas non plus exactement ce qu'ils peuvent espérer de Godot, hormis peut-être d'être hébergés chez lui, car ils sont sans domicile. Ils ne peuvent s'en aller car ils doivent l'attendre.

Ils passent le temps à enlever ou remettre une chaussure, à évoquer le passé et l'Histoire sainte, à manger les radis et les carottes qui leur restent, à envisager de se pendre à l'arbre dont ils ignorent s'il est assez solide pour les supporter.

Ce n'est pas Godot qui arrive, mais, non attendus, Pozzo et Lucky, l'un tirant l'autre par une corde. Pozzo se présente comme le propriétaire des terres. Il se rend au marché de Saint-Sauveur pour y vendre Lucky son porteur, ancien knouk, mi bouffon, mi-esclave, qui ne rend plus les mêmes services qu'autrefois. Pozzo s'installe pour manger, fumer la pipe et deviser. Sur l'ordre de Pozzo qui lui demande de penser, Lucky, qui savait aussi danser autrefois, tient un long discours, puis ils repartent.

Un garçon, envoyé par Godot, vient annoncer aux deux compagnons que Godot ne viendra pas ce soir-là, mais sûrement le lendemain. Brusquement, la nuit tombe, la lune se lève, l'attente est terminée.

Acte II

Le lendemain, Vladimir et Estragon se retrouvent à la même heure et au même endroit pour attendre Godot. Estragon ne se souvient plus des événements de la veille. Ils reprennent leur attente, rythmée par des occupations similaires. En plus, ils jouent avec le chapeau abandonné par Lucky, et aussi à s'invectiver comme Pozzo et Lucky.

Ceux-ci arrivent encore de manière inattendue. Pozzo se traîne au sol, il est devenu aveugle ; Lucky est devenu muet. Vladimir et Estragon, convaincus par une somme d'argent, aident Pozzo à se remettre sur ses pieds. Le maître et le valet repartent, toujours réunis par une corde.

Le même messager (ou peut-être son frère) annonce que le rendez-vous est à nouveau remis : Godot viendra le lendemain. Les deux compagnons envisagent de se pendre et y renoncent. Ils décident d'y aller, mais ils restent immobiles.

dont l'existence n'est effective que par la parole. Elle s'inscrit dans un présent fragile, celui d'acteurs qui doivent continuer à parler et celui d'êtres vivants dont la parole est la spécificité. Mais le « renvoi de balle » connote aussi le dialogue du music-hall, l'échange de partenaires dans un sketch ou dans un numéro de clowns, fondé sur des « emplois » (le clown blanc, l'Auguste, par exemple, ou, ici, le beau-parleur raisonneur face au faire-valoir en train de souffrir). Par un retournement, et au cas où d'autres indices du dialogue n'auraient pas suffi, la parole s'avoue pour ce qu'elle est : un spectacle, une routine, une tradition ancienne entre deux partenaires dont l'un ne donne pas d'indices suffisants de bonne volonté et de coopération dans ce que les linguistes appellent le « tour de parole ».

Attendre Godot

Ils pourraient partir, ils le devraient sans doute, puisqu'aucune nécessité évidente ne les retient. C'est au moment où Estragon s'appuie sur la présence des spectateurs (« Aspects riants », annonce-t-il en regardant vers le public) qu'il décide de le faire. C'est là que Beckett joue une carte dramaturgique majeure :

> « ESTRAGON. […] — Allons-nous en.
> VLADIMIR. — On ne peut pas.
> ESTRAGON.— Pourquoi ?
> VLADIMIR.— On attend Godot.
> ESTRAGON. — C'est vrai. »

D'un seul coup, leur présence dramatique est justifiée, du moins du point de vue de la construction traditionnelle d'une pièce de théâtre. Puisqu'ils attendent un autre personnage, la pièce se replace dans le cadre licite d'une fable qui se construit. L'attente d'un autre est un « vrai sujet », une façon traditionnelle d'alerter l'intérêt du lecteur ou du spectateur. Il y a un autre personnage et il va venir ; quelque chose d'autre que l'histoire de la chaussure et que le pseudo-dialogue philosophique alimente donc l'intrigue, nous autorise même à utiliser ce vocabulaire dramatique (irons-nous jusqu'à parler de « suspension d'esprit » comme le faisaient les dramaturges du XVIIe siècle ?) puisqu'un événement se profile à l'horizon.

Bien entendu, l'énoncé de cette amorce d'action porte en lui-même quelque chose de louche. Estragon semble avoir oublié ce rendez-vous ; son acquiescement final (« C'est vrai ») arrive de manière un peu mécanique, justement comme un acte de coopération volontaire dans le dialogue dont il était question précédemment. Dans les pages qui suivent, Beckett va faire perdre pratiquement toute crédibilité à l'événement annoncé :

> « VLADIMIR.— [...] Qu'est-ce que tu veux insinuer ? Qu'on s'est trompé d'endroit ?
> ESTRAGON. — Il devrait être là.
> VLADIMIR.— Il n'a pas dit ferme qu'il viendrait.
> ESTRAGON.— Et s'il ne vient pas ?
> VLADIMIR. — Nous reviendrons demain.
> ESTRAGON.— Et puis après-demain.
> VLADIMIR. — Peut-être.
> ESTRAGON.— Et ainsi de suite.
> VLADIMIR. — C'est-à-dire...
> ESTRAGON.— Jusqu'à ce qu'il vienne.
> VLADIMIR.— Tu es impitoyable.
> ESTRAGON.— Nous sommes déjà venus hier.
> VLADIMIR.— Ah non, là tu te goures.[...] »

Tous les doutes possibles minent l'événement. Au cas où le lecteur se serait pris au jeu de l'annonce, le voilà dérouté. Ils ne savent pas exactement le lieu et le moment du rendez-vous, ils ne savent pas exactement ce qu'ils veulent de Godot ni ce qu'ils peuvent en espérer. La seule chose qu'ils savent avec certitude, c'est qu'ils doivent attendre, et cette obligation devient le leitmotiv de la pièce en même temps que la justification narrative à leur présence permanente en scène :

> « ESTRAGON *(mâche, avale)*.— Je demande si on est liés.
> VLADIMIR.— Liés ?
> ESTRAGON.— Li-és.
> VLADIMIR.— Comment, liés ?
> ESTRAGON. — Pieds et poings.
> VLADIMIR.— Mais à qui ? Par qui ?
> ESTRAGON.— À ton bonhomme.
> VLADIMIR.— À Godot ? Liés à Godot ? Quelle idée ? Jamais de la vie ! *(Un temps)*. Pas encore. *(Il ne fait pas la liaison.)*
> ESTRAGON. — Il s'appelle Godot ?
> VLADIMIR.— Je crois.
> ESTRAGON.— Tiens ! [...] »

L'événement-Godot est donc examiné, repris, abandonné, mâché et remâché ; il devient un sujet de conversation essentiel, et la bonne volonté que les personnages mettent à le discuter lui donne une vraisemblance que contredit et nie le flou perpétuel qui entoure les circonstances possibles de la venue de Godot. Jamais, peut-on avancer, un événement dramatique possible n'a été autant exploré à l'avance ni discuté avec autant d'acharnement. Bien entendu, toutes ces considérations font avancer la pièce en même temps qu'elles font passer le temps, celui des personnages et celui de la représentation, puisqu'à mesure qu'est envisagée la possibilité de la venue de Godot nous avançons dans l'œuvre.

Continuer en passant le temps

Comme cela ne suffit pas tout à fait, Beckett fournit à ses personnages d'autres centres d'intérêt, davantage liés à leur existence immédiate. Estragon s'endort et rêve ; ils mangent ou, en tout cas, Estragon mâche un navet ; ils envisagent de se pendre, moins pour se suicider qu'avec l'espoir de « bander ». Leur attente de Godot se double donc de « passe-temps » qui correspondent à des fonctions ordinaires du corps humain, pas vraiment accomplies mais au moins esquissées, comme un parcours obligatoire de n'importe quel être vivant. Ils mâchouillent, somnolent, essaient de raconter une histoire, envisagent de mourir, examinent la possibilité de plaisir sexuel et parcourent donc en scène et, dans un temps cette fois contracté, les étapes ordinaires d'une vie ordinaire. À la différence que ces « non-événements » ont lieu sur une scène et se tissent avec l'annonce perpétuelle d'un événement qui n'arrive pas ou qui tarde dangereusement à se produire :

« ESTRAGON.— C'est curieux, plus on va, moins c'est bon.
VLADIMIR.— Pour moi c'est le contraire.
ESTRAGON.— C'est-à-dire ?
VLADIMIR.—Je me fais au goût au fur et à mesure.
ESTRAGON (*ayant longuement réfléchi*).— C'est ça le contraire ?
VLADIMIR. — Question de tempérament.
ESTRAGON.— De caractère.
VLADIMIR. — On n'y peut rien.
ESTRAGON. — On a beau se démener.

VLADIMIR.— On reste ce qu'on est.
ESTRAGON.— On a beau se tortiller.
VLADIMIR.— Le fond ne change pas.
ESTRAGON.— Rien à faire. […] »

Comme souvent, le dialogue commente indirectement et avec ironie la construction dramatique, comme si Beckett prenait un malin plaisir à fournir au lecteur ou aux spectateurs des arguments pour fustiger sa façon d'écrire et d'envisager la dramaturgie. Ce passage concerne la dégustation de la carotte, mais il peut aussi s'entendre comme un commentaire interne de l'œuvre qui n'avance pas (« Plus on va moins c'est bon » ; « Le fond ne change pas ») et une dénonciation des acteurs-personnages qui « se tortillent » en vain pour faire quelque chose. Il se réfère aussi, nous le verrons ailleurs, aux êtres humains qui se démènent en vain pour que ça avance alors qu'il n'y a, et c'était la première phrase de la pièce, « rien à faire ».

La préparation de l'entrée des renforts

Le savoir-faire dramaturgique réclame, selon les canons classiques, qu'une entrée fonctionne soit sur le mode de la surprise (l'irruption soudaine d'un personnage), soit sur le mode de l'annonce plus ou moins masquée. Beckett connaît ses classiques et il combine les deux. Il réutilise le motif de Godot pour annoncer indirectement l'entrée de Pozzo comme une « fausse alerte », au moment où les personnages s'épuisent à faire durer leur premier duo :

« ESTRAGON.— Tu m'as fait peur.
VLADIMIR.— J'ai cru que c'était lui.
ESTRAGON.— Qui ?
VLADIMIR.— Godot.
ESTRAGON. — Pah ! Le vent dans les roseaux.
VLADIMIR.— J'aurais juré des cris.
ESTRAGON. — Et pourquoi crierait-il ?
VLADIMIR.— Après son cheval. »

Si l'on fait abstraction du fait que les ressorts du texte, devenu un classique, sont maintenant très connus, le jeu avec le spectateur est, à l'origine, complexe. Il est probable qu'à ce stade de l'action il ne croit plus guère possible l'arrivée de Godot. Or celle-ci est réannoncée comme un événement dramatique concret (les roseaux, les cris, le cheval) qui « fait peur » et qui est susceptible de bouleverser les données de la situation. L'entrée aurait été spectaculaire (un Godot à cheval, quelle mise en scène !) ; elle n'aura pas lieu mais c'est peu après le moment où l'image est abandonnée que Pozzo et Lucky font une entrée non moins spectaculaire, annoncée depuis la coulisse par « *un cri terrible [qui] retentit, tout proche* », comme le prescrit la didascalie. Au moment où l'action semble s'enliser dans les marécages du non-événement, Beckett offre au spectateur un moment de théâtralité fort : des cris, des coups de fouet, des accessoires multiples (valise, pliant, panier à provision), et non pas un mais *deux* personnages étranges qui entrent d'un coup, avec la chute spectaculaire de Lucky en prime. Tout se passe comme si, après avoir habitué le spectateur au mode mineur du dialogue qui n'en finit pas, Beckett offrait le luxe inattendu d'un « coup de théâtre » à l'ancienne, accompagné de tous ses ingrédients sonores et visuels. Si le spectateur voulait du théâtre, il est servi, et d'autant plus qu'il est en droit de se demander si ça n'est pas enfin Godot qui vient ainsi de se manifester bruyamment.

Le quatuor majeur

Un renfort de poids

L'échange à quatre personnages qui suit occupe la plus grande partie de l'acte premier. Son système narratif est plus complexe. L'irruption de Pozzo, flanqué de Lucky, s'ouvre sur le mode du spectaculaire et, d'emblée, sur le problème de l'identité de Pozzo qu'après leur longue attente spectateurs et acteurs seraient tentés de prendre pour Godot. Bien qu'il soit celui que l'on n'attendait pas, il légitime sa présence en tant que propriétaire des terres se rendant au marché de Saint-Sauveur pour y vendre Lucky. Rien à dire, donc, du point de vue narratif, dans la mesure où l'intrigue s'enrichit de deux personnages dont la trajectoire est annoncée et justifiée.

La rencontre entre les deux duos, leur jonction, n'est cependant pas évidente. Elle se fait par hasard, selon la tradition du roman picaresque où voyageurs et errants finissent par se croiser ; selon la tradition aussi de la tragi-comédie ou de l'intrigue shakespearienne dont le moteur est le hasard ou l'accident. Ces personnages n'ont rien en commun, rien à se dire, aucun projet d'action collective, et pourtant ils restent ensemble. C'est une pause sur le chemin de Pozzo qui en profite pour pique-niquer, une sorte d'intermède pour Vladimir et Estragon qui ne savaient plus comment poursuivre leur duo avec leurs seules ressources. Le renfort qu'ils reçoivent est de taille. L'adjuvant dramaturgique que Beckett recrute vient du théâtre. Pozzo s'agite, parle fort, fait un large usage d'accessoires divers, et par-dessus tout il bénéficie à volonté de l'appui de Lucky, qu'il présente et dont il montre les multiples talents à son gré :

> « POZZO.— [...] Mes amis, je suis heureux de vous avoir rencon-trés. *(Devant leur expression incrédule.)* Mais oui, sincèrement heu-reux. *(Il tire sur la corde.)* Plus près ! *(Lucky avance.)* Arrêt !. *(Lucky s'arrête. À Vladimir et Estragon.)* Voyez-vous, la route est longue quand on chemine tout seul pendant... *(il regarde sa montre)...* pendant *(il calcule)...* six heures, oui, c'est bien ça, six heures à la file sans rencontrer âme qui vive. *(À Lucky.)* Manteau ! *(Lucky dépose la valise, avance, donne le manteau, recule, reprend la valise.)* Tiens ça. *(Pozzo lui tend le fouet, Lucky avance et n'ayant plus de mains, se penche et prend le fouet entre ses dents, puis recule. Pozzo commence à mettre son manteau, s'arrête.)* Manteau ! *(Lucky dépose tout, avance, aide Pozzo à mettre son manteau, recule, reprend tout.)* »

Pozzo est désormais au centre de l'action. Il exhibe Lucky, qu'il traite comme un animal savant ou comme un esclave de music-hall, une sorte de sous-homme qui le sert mais dont il peut surtout faire profiter un public, et son public devient ses deux « semblables » de rencontre. La scène se construit sous le signe du spectacle puisque tout devient occasion d'exhibition pour Pozzo, sa richesse, son aisance, sa voix, son repas, sa pipe, le ciel même dont il semble être propriétaire aussi bien que les terres qui les entourent. Beckett exploite la veine histrionesque de son personnage, comme si la pièce était envahie par un long intermède qui viendrait corriger ce que le début avait de contestable du point de vue spectaculaire, avec ses duettistes de second ordre qui s'escrimaient à faire avancer l'action. Avec Pozzo en scène- et celui-ci a bien du mal à reprendre son chemin et à abandonner son public – c'est le pouvoir d'une dramaturgie tonitruante qui s'installe, celle du bateleur, du présentateur de cirque ou du marchand qui fait l'article. Cette présence envahissante hypnotise littéralement Vladimir et Estragon qui apparaissent aussi comme les doubles des spectateurs, happés par l'étrange numéro qui se déroule devant eux.

Vladimir et Estragon, acteurs ou spectateurs ?

Ils ont perdu le premier rôle en rencontrant plus riche et plus brillant qu'eux. Leur statut dans l'action va osciller entre plusieurs fonctions. Une fois Pozzo identifié, non sans mal puisqu'ils attendaient Godot à qui Pozzo vole littéralement la vedette, ils sont réduits à le contempler. Ils perdent la maîtrise de la parole et leur dialogue ne s'inscrit plus qu'en fonction de Pozzo ou en réaction aux répliques de celui-ci, ce qui a pour effet de les dissocier et de les faire se contredire. Vladimir veut partir mais Estragon, « flairant l'aumône », veut rester. La routine de leur dialogue est perturbée par la présence d'un tiers qui en modifie les automatismes et cette espèce de solidarité de la parole qui les liait :

« ESTRAGON.— Ah ! Ça va mieux.(*Il jette les os.*)
VLADIMIR.— Partons.
ESTRAGON.— Déjà ?
POZZO.— Un instant ! (*Il tire sur la corde.*) Pliant ! (*Il montre avec son fouet. Lucky déplace le pliant.*) Encore ! Là ! (*Il se rassied. Lucky recule, reprend valise et panier.*) Me voilà réinstallé ! (*Il commence à bourrer sa pipe.*)
VLADIMIR.— Partons.
POZZO.— J'espère que ce n'est pas moi qui vous chasse ? Restez encore un peu, vous ne le regretterez-pas.
ESTRAGON (*flairant l'aumône*).— Nous avons le temps.
POZZO (*ayant allumé sa pipe*).— La deuxième est toujours la moins bonne (*il enlève la pipe de sa bouche, la contemple*) que la première, je veux dire. (*Il remet la pipe dans sa bouche.*) Mais elle est bonne quand même.
VLADIMIR.— Je m'en vais. »

Leur dissociation est encore plus nette lorsque, contaminé par le goût du spectacle, Estragon s'allie à Pozzo et devient brièvement le montreur de Vladimir. Les fonctions ont alors complètement changé dans cette courte phase d'identification où Vladimir étant parti un peu plus loin pour uriner (c'est pour lui un problème), Estragon devient le Pozzo de son ex-complice en attirant l'attention du vrai Pozzo sur le spectacle que la maladie de Vladimir donne à voir. Il y alors comme un souvenir des baraques foraines où des « monstres » sont exhibés dans des formes élémentaires de théâtralité, que renforce avec ironie l'allusion au voyeurisme :

> « POZZO.— [...] Vous auriez dû le retenir.
> ESTRAGON.— Il s'est retenu tout seul.
> POZZO.—Oh ! *(Un temps)*. A la bonne heure.
> ESTRAGON *(se levant)*.— Venez par ici.
> POZZO.— Pour quoi faire ?
> ESTRAGON.— Vous allez voir.
> POZZO.— Vous voulez que je me lève ?
> ESTRAGON.— Venez... venez... vite.
> *Pozzo se lève et va vers Estragon.*
> ESTRAGON.— Regardez !
> POZZO.— Oh là là !
> ESTRAGON.— C'est fini. »

Le spectacle est bref mais Estragon y gagne en autorité puisqu'il arrive même à faire que Pozzo, habituellement vissé à son pliant, se déplace. Comme il apprend vite, il fait lui-même l'éloge de la représentation en s'adressant à Vladimir qui était pourtant bien placé : « Tu as raté des choses formidables. »

Ils ne retrouvent une autorité commune et leur place dans le dialogue qu'en exerçant leur numéro aux dépens de Lucky, envers qui ils éprouvent des sentiments contradictoires : ils le plaignent jusqu'à ce que Lucky donne un coup de pied à Estragon ; ils plaignent alors Pozzo d'avoir la charge d'un porteur aussi médiocre. Ils s'adaptent vite à toute nouvelle situation. On peut lire toute cette séquence, et nous y reviendrons, d'un point de vue moral et psychologique en analysant les rapports impitoyables qui règnent entre les personnages et par conséquent entre les êtres humains. Du strict point de vue de la construction de la pièce, il est plus intéressant de noter à quel point elle est hantée par la théâtralité et comment les jeux de pouvoir se règlent à travers qui regarde qui, qui se donne en spectacle ou qui est donné en spectacle, et comment l'exhibition de monstruosités diverses est un des moteurs de l'œuvre. Le théâtre dans le théâtre devient une sorte de nécessité structurelle, le fondement de l'action. Ainsi quand Estragon et Vladimir inspectent longuement Lucky, tournant autour de lui et échangeant leurs places :

« VLADIMIR.— Il n'est pas mal.
ESTRAGON. *(levant les épaules, faisant la moue).*—Tu trouves ?
VLADIMIR.— Un peu efféminé.
ESTRAGON.— Il bave.
VLADIMIR.— C'est forcé.
ESTRAGON.—Il écume.
VLADIMIR.— C'est peut-être un idiot.
ESTRAGON. — Un crétin.
VLADIMIR *(avançant la tête).*— On dirait un goitre.
ESTRAGON *(même jeu).*— Ce n'est pas sûr.
VLADIMIR.— Il halète.
ESTRAGON.— C'est normal.
VLADIMIR. — Et ses yeux !
ESTRAGON.— Qu'est-ce qu'ils ont ?
VLADIMIR. — Ils sortent.
ESTRAGON.— Pour moi, il est en train de crever.
VLADIMIR. — Ce n'est pas sûr.[…] »

La parole ne sert pas pour agir, pour aller vers l'autre, elle se fait tout entière commentaire. Elle sert de relais entre ce qui est exposé sur la scène et les spectateurs. Elle renvoie l'image terrible d'acteurs qui n'agissent pas mais qui commentent en s'efforçant de transformer tout ce qui se produit en événement spectaculaire.

Le numéro de Lucky

Longtemps, Lucky ne fait qu'exécuter les ordres de Pozzo en silence. Le mystérieux porteur agit peu de son propre chef et, quand il le fait, par exemple quand il décoche un coup de pied à Estragon, son acte le rend d'autant plus imprévisible. Ce personnage sans initiative attire pourtant l'attention du lecteur ou du spectateur dans la mesure où il est l'objet d'un intérêt considérable, bien que de nature particulière, de la part des trois autres personnages. Sur scène, un personnage « absent » peut capter l'attention par la qualité de cette absence. Pozzo le fait agir par ses ordres, Estragon et Vladimir le contemplent comme un animal exotique. Lucky l'aphasique retient l'attention par son mystère, sa marginalité, et surtout parce qu'il ne parle pas. C'est ce choix radical de Beckett qui lui donne une place particulière dans l'action. Personnage hors normes, nul ne sait ce qu'il pense, s'il entend même ce qui se passe autour de lui et comment il se rattache à une quelconque tradition théâtrale. Soudain, l'idiot « chanceux » dont on apprend qu'il est capable de danser se met à parler. Cette parole solitaire, sans destinataire apparent, quasiment mécanique, est encore une sorte de coup de théâtre, un renversement total des apparences. Il parle parce qu'il faut parler, sans que son discours ait une autre nécessité que la décision de Pozzo, qui le déclenche comme on fait aboyer son chien ou comme on met en route un robot, à volonté. Ce flux verbal, cette coulée logorrhéique, ne s'arrête plus, une fois déclenchée ; ou plutôt, le discours commence et finit sur une décision qui est extérieure au personnage et qui s'inscrit concrètement dans l'image théâtrale, puisqu'il faut lui mettre ou lui ôter son chapeau pour que la mécanique verbale s'enclenche ou s'arrête. Lucky travaille donc littéralement du chapeau, comme un fou ou comme un intellectuel, comme une pythie qui profère des phrases au sens difficilement interprétable, comme un personnage dont les mots dépendent de l'auteur ou comme un acteur (nous retrouvons le spectacle dans le spectacle – n'oublions pas qu'il sait aussi danser) qui se met à parler, ou plutôt à « penser », car ici les deux se confondent et la pensée se manifeste par du « texte », chaque soir à ces heures régulières convenant au metteur en scène et au public :

> « Étant donné l'existence telle qu'elle jaillit des récents travaux publics de Poinçon et Wattmann d'un Dieu personnel quaquaquaqua à barbe blanche quaqua hors du temps de l'étendue qui du haut de sa divine apathie sa divine athambie sa divine aphasie nous aime bien à quelques exceptions près on ne sait pourquoi mais ça viendra et souffre à l'instar de la divine Miranda avec ceux qui sont on ne sait pourquoi mais on a le temps dans le tourment dans le tourment dans les feux dont les feux les flammes pour peu que ça dure encore un peu [...] »

Ce pavé textuel, dont nous analyserons ailleurs la portée, survient comme le long monologue délibératif ou introspectif du personnage tragique de la dramaturgie classique. Ici, il est fait de fragments sans rapports apparents entre eux, mêlant de fausses et de vraies références culturelles et religieuses et des fragments de souvenirs plus ordinaires. Ces bribes de texte, crachées par une mémoire devenue folle, aggravent le sentiment d'incompréhension du spectateur. Le monologue lyrique ou intérieur, espace ordinaire de l'expression de soi, tourne ici à vide comme si la pensée se faisait spectacle pur, au seul bénéfice de l'avancement de la représentation et du bon plaisir des trois autres personnages.

Vers une issue provisoire

La sortie de Pozzo demande de la conversation, des politesses convenues, des efforts physiques et beaucoup de bruit. L'histrion ne quitte jamais la scène avec facilité et sans entourer sa disparition de quelques artifices qui tendent à en faire un événement et à négocier sa sortie en en tirant le meilleur bénéfice possible.

Un peu de conversation

La dramaturgie traditionnelle accompagne fréquemment la sortie d'un personnage de divers commentaires de la part de ceux qui restent en scène, tout comme les individus quittant un groupe entraînent presque inévitablement les appréciations diverses du reste de la compagnie. La courte séquence qui suit n'échappe pas à cette tradition. Après avoir repris le fil de leurs préoccupations ordinaires que nous aurions pu perdre de vue (« On attend Godot ») et donc ce que nous pourrions appeler « l'action principale », arrivent les commentaires :

> « VLADIMIR. — Ils ont beaucoup changé.
> ESTRAGON. — Qui ?
> VLADIMIR. — Ces deux-là.
> ESTRAGON. — C'est ça, faisons un peu de conversation. »

La séquence diffère cependant de la tradition dans la mesure où les personnages ne sont pas dupes de leur propre jeu, de la nécessité constante de la parole qui les mène et de l'engrenage du spectacle qui les force à continuer. Beckett brouille également les cartes puisqu'une fois de plus nous ne savons pas si personnages se sont vus auparavant ou si leur mémoire continue à leur jouer des tours. Toutes les informations narratives, ordinairement tenues pour acquises, sont ici sujettes à caution, comme si le niveau de la fiction et le niveau de la représentation se mêlaient et que la mémoire des personnages était influencée par celle des acteurs qui – pourquoi pas ? – se seraient « vus » dans la représentation de la veille. Beckett suit l'organisation qui convient à une certaine rhétorique dramaturgique en même temps qu'il la perturbe en rendant incertain tout ce qui est de l'ordre de la fiction.

L'arrivée du Messager

Depuis l'Antiquité, la fonction du Messager appartient à la tradition théâtrale. Souvent porteur de mauvaises nouvelles, il lui arrive ainsi de provoquer un coup de théâtre. La pièce suit cette règle dramaturgique, bien que le messager soit ici particulier, un enfant qui annonce que Godot ne viendra pas. On pouvait s'en douter un peu. La première partie se termine donc par un « échec » qui rend l'attente vaine et qui annule son intérêt éventuel. En revanche, le message est porteur d'une relance dramaturgique et d'un espoir car Godot viendra « sûrement demain ». L'adverbe « sûrement » est ambigu dans la langue française puisqu'il exprime à la fois la certitude absolue et le léger doute.

Le rendez-vous manqué avec Godot s'accompagne de précisions réalistes qui confirment l'existence de Godot et apportent aux protagonistes comme aux spectateurs une sorte d'espoir en sa venue. L'enfant le connaît, il garde les chèvres pour lui ; Godot bat son frère qui garde les brebis. Du point de vue du récit, l'issue positive de la venue de Godot, même si elle demeure très éloignée dans le temps et reste entourée de mystères (c'est une autre ficelle dramatique), garde une sorte de véracité à travers l'image d'un Godot fermier et des images pastorales qui l'accompagnent. L'enfant repart porteur d'un message selon lequel il a « vu » Vladimir et Estragon. Godot saura au moins qu'ils existent.

La fin brutale

Il ne sert plus à rien d'épiloguer, semble suggérer Beckett dans les didascalies puisque « *La lumière se met brusquement à baisser. En un instant il fait nuit. La lune se lève, au fond, monte dans le ciel, s'immobilise, baignant la scène d'une clarté argentée.* » Il ne fait pas de doute qu'il s'agit d'une nuit de théâtre annonciatrice de la fin du premier acte et que le temps, si souvent étiré, s'accélère cette fois. Les feux s'éteignent avec la fin de l'attente et s'installe un romantisme de convention. La sortie des duettistes est moins spectaculaire que celle de Pozzo. Estragon est sans espoir et, s'il ne veut pas quitter la scène, c'est parce qu'il n'a nul endroit où aller, comme si son existence (d'acteur, de personnage) était elle aussi sujette à caution. Ses chaussures restent en scène comme la trace dérisoire de son existence, et l'acte se clôt sur une décision d'action qui semble inviter au mouvement :

« ESTRAGON. — Alors on y va ?
VLADIMIR. — Allons-y. »

II. Acte deuxième

Second duo de l'attente

Le début de la deuxième partie fait contraste avec la fin de la première. Beckett introduit d'emblée un nouvel intermède, Vladimir se met à chanter. Il y a quelque chose de changé, comme le confirme « l'*arbre qui porte quelques feuilles* » que le personnage contemple alors que la scène se passe « *Le lendemain. Même heure. Même endroit* ». C'est la même chose et ça n'est pas vraiment la même chose, comme semble l'indiquer ce printemps soudain et la bonne humeur de Vladimir dont la chanson évoque cependant l'ensevelissement d'un chien, dans une image burlesque de la mort.

Se retrouver

Confronté à la reprise de son duo qui a fait l'essentiel de la première partie, Beckett y introduit des variations sur le même thème. Didi et Gogo se retrouvent avec des effusions et un bonheur apparent sans égal :

> « ESTRAGON.— Tu m'as laissé partir.
>
> VLADIMIR.— Regarde-moi ! *(Estragon ne bouge pas. D'une voix tonnante.)* Regarde-moi, je te dis !
>
> *Estragon lève la tête. Ils se regardent longuement en reculant, avançant et penchant la tête comme devant un objet d'art, tremblant de plus en plus l'un vers l'autre, puis soudain s'étreignent en se tapant sur le dos. Fin de l'étreinte. Estragon, n'étant plus soutenu, manque de tomber.* »

Ces effusions sont sans rapport apparent avec le temps de la séparation et avec l'action qui les a vus partir ensemble, comme si le caractère indissoluble de leur duo s'affirmait mais qu'il était menacé par l'arrêt du spectacle, puisque les personnages ont été séparés, dans le temps de la représentation, par l'entracte. Ce que l'étreinte peut avoir de pathétique est contrebalancé par un gag de tradition clownesque, la chute d'Estragon. Ces variations sur les retrouvailles s'étirent quelque temps, comme s'ils avaient besoin de prendre leurs marques avant de recommencer à jouer ensemble ; comme si, également, leur couple inséparable et pourtant régulièrement séparé par la nuit devait se resituer dans la durée. Hors scène, ils n'existent pas, mais, fidèles aux traditions théâtrales, ils se racontent ce qui leur est arrivé, en l'occurrence pas grand-chose, comme si c'était capital. Cette réinstallation dans le temps entraîne un travail de remémoration qui n'est pas nouveau mais qui prend, cette fois, davantage d'importance.

Se souvenir

Tout l'effort de Vladimir consiste à aider Estragon à se souvenir, et à accepter qu'il y « ait du nouveau, ici, depuis hier ». Cette prise de conscience du changement de l'arbre s'accompagne d'un travail sur la mémoire immédiate, sur ce qui s'est passé dans la première partie. Cette fois, c'est un passé dont le lecteur ou le spectateur est informé au même titre que les personnages, si bien que l'évocation de ces souvenirs ressemble parfois à un résumé de l'action, à une sorte de remise au point de la situation. Il existe un étalonnage commun du passé des personnages : c'est au moins ce à quoi les spectateurs ont assisté avant l'entracte. Bizarrement, Estragon ne veut pas se souvenir ou nie tout passage du temps et tout changement de l'espace. L'évocation d'un passé plus ancien (les vendanges dans le Vaucluse, dont cette fois le spectateur ne sait rien) provoque la même rage de la part d'Estragon. On pourrait dire que l'action consiste simplement à « se souvenir », c'est-à-dire à se situer dans le temps en acceptant qu'il ait pu s'écouler et qu'il ait entraîné une transformation, même minime, du monde :

> « VLADIMIR.— Est-ce possible que tu aies oublié déjà ?
> ESTRAGON.—Je suis comme ça. Ou j'oublie tout de suite ou je n'oublie jamais.

VLADIMIR.— Et Pozzo et Lucky, tu as oublié aussi ?
ESTRAGON.— Pozzo et Lucky ?
VLADIMIR.— Il a tout oublié !
ESTRAGON.— Je me rappelle un énergumène qui m'a foutu des coups de pied. Ensuite il a fait le con.
VLADIMIR.— C'était Lucky !
ESTRAGON.— Ça je m'en souviens. Mais quand c'était ?
VLADIMIR. — Et l'autre qui le menait, tu t'en souviens aussi ?
ESTRAGON. — Il m'a donné des os.
VLADIMIR.— C'était Pozzo !
ESTRAGON.— Et tu dis que c'était hier, tout ça ?
VLADIMIR.— Mais oui, voyons.
ESTRAGON.— Et à cet endroit ?
VLADIMIR.— Mais bien sûr ! Tu ne reconnais pas ?
ESTRAGON *(soudain furieux).*— Reconnais ! Qu'est-ce qu'il y a à reconnaître ? J'ai tiré ma roulure de vie au milieu des sables ! Et tu veux que j'y voie des nuances ! *(Regard circulaire.)* Regarde-moi cette saloperie ! Je n'en ai jamais bougé ! »

Vladimir devient l'allié objectif du lecteur qui ne comprend pas davantage comment un personnage de théâtre peut ainsi être frappé d'amnésie. Ce faisant, le récit au sens classique n'avance pas, il patine dans les sables mouvants de la mémoire défaillante, l'action consistant simplement à réévoquer par la parole les événements qui se sont déroulés dans la première partie et à les faire admettre à Estragon installé dans une immobilité qui paraît définitive.

Passer le temps difficilement

Il leur reste un projet, le rendez-vous avec Godot, même si celui-ci est évoqué quand la conversation se tarit et qu'il s'agit de dire « n'importe quoi ». Comme dans la première partie, ils passent en revue toutes leurs activités ordinaires, avec cependant des variantes. Quand Vladimir propose de « recommencer », Estragon souligne que, si « le départ est difficile », « on peut partir de n'importe quoi ». Ils vont donc encore converser, envisager de manger des radis noirs, essayer les chaussures abandonnées (cette fois, elles sont trop grandes). Estragon va s'endormir à nouveau, bercé par Estragon, et se réveiller encore une fois à cause d'un cauchemar où il se voit « tomber dans le vide ». Ils découvrent un nouveau jeu dont l'idée leur vient à cause du chapeau abandonné par Lucky. Ils jouent donc à être Pozzo et Lucky, après avoir joué aux chapeaux interchangeables, ils jouent à s'engueuler, ils « font leurs exercices ».

Cette séquence ressemble donc parfaitement à son homologue de la première partie, les variantes ne présentant aucun intérêt dramatique du point de vue d'une « intrigue » traditionnelle. Ils avaient évoqué par la parole Pozzo et Lucky, jouer leurs rôles consiste à offrir au spectateur une copie supplémentaire, en moins spectaculaire, d'une action déjà vue. Ça ressemblerait à de la provocation pure si leurs propos n'étaient devenus plus noirs et ne s'accompagnaient d'une sorte de douleur parfois plus aiguë dans l'acte de « continuer » (« On trouve toujours quelque chose, hein, Didi, pour nous donner l'impression d'exister ? »), parfois d'une ironie dérisoire (« Comme le temps passe quand on s'amuse »). Elle est toujours ponctuée d'invitations régulières à « attendre Godot ».

Beckett semble avancer encore davantage dans un projet de destruction lente de toute tension dramatique et de tout phénomène spectaculaire qui relèverait du « divertissement », alors qu'il ponctue ironiquement le texte de références au spectacle à travers le dialogue des duettistes qui se réjouissent un moment d'être servis « sur un plateau ». Leur fuite même est impossible, leur disparition temporaire dans les coulisses les ramenant inexorablement sur la scène, les confrontant à son silence et à son vide.

Annoncer une entrée improbable

À ce stade de la pièce, la structure répétitive est de plus en plus perceptible. Le seul coup de théâtre encore possible serait l'entrée de Godot, mais est-il encore concevable d'y croire ? Tout est conçu pour que plus personne n'y croie, pas même les personnages qui reprennent cependant l'effet d'annonce. Le paradoxe d'une telle structure, difficile à prévoir du point de vue du spectateur au moment de la création, c'est que les événements sont tellement rares qu'il est difficile de ne pas espérer, malgré tout, que quelque chose arrive, et que le très improbable Godot entre malgré tous les indices qui contredisent cette possibilité :

« ESTRAGON (*plus fort*).— Tu ne vois rien venir ?
VLADIMIR.— Non.
ESTRAGON.— Moi non plus.
Ils reprennent le guet. Long silence.
VLADIMIR.— Tu as dû te tromper.
ESTRAGON.— Ne crie pas.
Ils reprennent le guet. Long silence. »

Il serait possible de transposer ce dialogue dans la salle, entre deux spectateurs également en attente d'une issue dramatique « satisfaisante » ! Pour le public comme pour les acteurs, comme l'indique Beckett avec dérision, il s'agirait en définitive « d'assurer la soirée » en respectant les conventions de la « sortie au théâtre ».

« ESTRAGON.— C'est Godot ?
VLADIMIR.— Ca tombe à pic.[…] Enfin du renfort !
POZZO (*voix blanche*). — Au secours.
ESTRAGON.— C'est Godot ?
VLADIMIR.—Nous commencions à flancher. Voilà notre fin de soirée assurée.
POZZO.— À moi ! »

Le quatuor des infirmes

Ce sont les mêmes que dans la première partie qui entrent, mais cette fois la modification est de taille. Pozzo et Lucky « tombent au milieu des bagages ». L'entrée est une seconde fois spectaculaire, mais le spectacle a changé.

La mise aux enchères de Pozzo

Une grande partie du quatuor, une fois rejoué le lazzi d'Estragon qui s'obstine à prendre Pozzo pour Godot, est consacré à un débat entre Estragon et Vladimir sur l'opportunité de relever ou non Pozzo, qui leur propose de l'argent pour qu'ils lui rendent ce service, Lucky restant hors-jeu. Beckett opère à nouveau une dissociation entre la parole et l'action. Relever l'homme tombé à terre est une action simple et qui ne devrait pas les occuper longtemps. Or le temps s'étire en de longues palabres d'abord techniques (Qui est l'homme à terre ? Pourquoi ne peut-il pas se relever ?), puis marchandes (Quel avantage en retireront-ils ?), voire morales (Ont-ils le droit d'en espérer des avantages ?). Tout se passe comme s'il s'agissait d'un débat purement théorique, sans urgence et comme coupé de la réalité, celle de l'homme qui implore effectivement du secours. Nous reviendrons sur les interprétations possibles de ce débat autour d'une action somme toute « naturelle », sinon « charitable », et sur les enjeux psychologiques et moraux d'une possible vengeance des deux compères sur le mode « œil pour œil, dent pour dent ». Du strict point de vue de l'action, nous pouvons noter que les duettistes s'emparent de ce qui arrive pour continuer et que, fidèle à sa ligne dramaturgique, Beckett fait durer tout événement en lui donnant la plus grande portée scénique possible et en l'usant jusqu'à la corde :

> « POZZO.— Au secours, je vous donnerai de l'argent !
> ESTRAGON.— Combien ?
> POZZO.— Cent francs.
> ESTRAGON.— Ce n'est pas assez.
> VLADIMIR.— Je n'irais pas jusque là.
> ESTRAGON. — Tu trouves que c'est assez ?
> VLADIMIR.—Non, je veux dire jusqu'à affirmer que je n'avais pas toute ma tête en venant au monde. Mais la question n'est pas là.
> POZZO.— Deux cents.
> VLADIMIR. — Nous attendons. Nous nous ennuyons.*(Il lève la main.)* Non, ne proteste pas, nous nous ennuyons ferme, c'est incontestable. Bon. Une diversion se présente et que faisons-nous ? Nous la laissons pourrir. Allons, au travail. *(Il avance vers Pozzo, s'arrête.)* Dans un instant, tout se dissipera, nous serons à nouveau seuls, au milieu des solitudes. *(Il rêve).* »

Vladimir expose clairement une des clefs de la construction de l'œuvre. Nous pouvons analyser les événements sous l'angle de leur réalité en en discutant les conséquences du point de vue du sens et de la philosophie de l'œuvre. Nous pouvons aussi les examiner du point de vue de l'organisation dramatique, où il s'agit de les faire durer, quels qu'ils soient, pour échapper au vide de la page blanche ou de la scène. Cet effet de « remplissage » à n'importe quel prix ne doit pas être perdu de vue car il s'inscrit contre une tradition de l'écriture théâtrale où la dramaturgie est conçue comme une mécanique. La construction apparemment abandonnée au hasard des « diversions » est une métaphore de récit. En dehors de la scène, il n'y a rien ; qu'y-a-t-il en dehors des « occupations » que se trouvent difficilement les personnages pour continuer ?

Tous infirmes

Pozzo révèle les causes de sa chute et de sa faiblesse : il est devenu aveugle, Lucky est devenu muet. Ces événements font de leur duo la figure renversée de ce qu'il était au premier acte. Pozzo, le montreur sûr de sa puissance, était celui qui se donnait à voir et qui donnait à voir Lucky le penseur. Ils sont devenus deux infirmes qui implorent de l'assistance. La figure morale de la « punition » ou de la « chute » est si évidente qu'elle échappera difficilement aux commentaires. Du point de vue de l'action, Vladimir et Estragon jouent leur rôle de spectateurs qui veulent en savoir plus sur les causes de ces infirmités. La logique dramatique exigerait que nous soyons renseignés sur ce qui s'est passé hors scène et que nous mesurions les tenants et les aboutissants de la fable. Or il s'agit d'un événement somme toute arbitraire, que Pozzo (et Beckett) refusent de commenter, l'inscrivant dans une logique du hasard ou du destin et absolument pas dans un engrenage logique d'actions humaines qui expliqueraient tout. D'ailleurs, Pozzo, à son tour, ne se souvient pas d'avoir rencontré la veille Vladimir et Estragon. Les rapports de cause à effet n'existent pas dans le récit. Le dramaturge tout puissant se réserve le droit de décider du sort de ses créatures :

« POZZO *(soudain furieux).* — Vous n'avez pas fini de m'empoisonner avec vos histoires de temps ? C'est insensé ! Quand ! Quand ! Un jour, ça ne vous suffit pas, un jour pareil aux autres il est devenu muet, un jour je suis devenu aveugle, un jour nous deviendrons sourds, un jour nous sommes nés, un jour nous mourrons, le même jour, le même instant, ça ne vous suffit pas ? *(Plus posément.)* Elles accouchent à cheval sur une tombe, le jour brille un instant, puis c'est la nuit à nouveau. *(Il tire sur la corde.)* En avant ! »

Le filon du spectaculaire, capital dans la première partie, est ici abandonné comme si l'accomplissement de « numéros » s'avérait de plus en plus difficile. Sans doute devenus plus graves, les personnages échangent davantage de considérations métaphysiques.

Commencée sous le signe d'un énigmatique printemps, la seconde
partie s'achève sous le signe de la dégénérescence tandis que le spectacle se délite et que, comme le dit Estragon :

> « Mais ça n'est pas pour rien que j'ai vécu cette longue journée et je
> peux vous assurer qu'elle est presque au bout de son répertoire. »

Finir

Dormir, rêver peut-être...

Contrairement à la première partie, il n'y a qu'un très bref
échange entre les duettistes à la sortie de Pozzo et Lucky, et, vraie
ou fausse piste, c'est autour de l'identité de Pozzo qu'Estragon
s'obstine à prendre pour Godot. Puis il s'endort à deux reprises,
sans qu'on sache si l'image réelle de sa fatigue n'est pas aussi un
signe de dérision par rapport à l'ennui probable ou supposé du
spectateur. Seul Vladimir tient la scène, même s'il énonce : « Je ne
peux pas continuer », avec un monologue qui résume à nouveau ce
qu'ils ont vécu, sur le mode philosophique de « la vie est un songe ».
Son discours vient encore renforcer le sentiment d'inanité de toute
action humaine. Il renvoie aussi à l'ambiguïté de la représentation
théâtrale (« Mais dans tout cela qu'y aura-t-il de vrai ? »), simple
simulacre de la vie réelle. Beckett multiplie les effets d'emboîtement
qui contribuent à faire perdre le fil d'une interprétation qui serait
trop logique. Si la vie est un songe et le théâtre un simulacre de la
vie, à quoi venons-nous d'assister ?

Brèves révélations du Messager

L'arrivée du Messager n'est plus une surprise, comme le souligne
le « Reprenons » de Vladimir, qui indique du même coup que son
monologue était une sorte de parenthèse dans la représentation. Les
variations sont désormais attendues, même s'il est seul
puisqu'Estragon dort toujours.

Le Messager n'est pas venu la veille, mais il est porteur du même
message, que Vladimir devance, puisqu'il le connaît par cœur.

Ultime plaisanterie beckettienne ou message lourd de sens, trop lourd pour qu'on ne s'en méfie pas : Godot aurait une barbe blanche, si bien que Vladimir s'écrie « Miséricorde ! », exclamation obligée devant cette révélation qui renvoie à l'image stéréotypée de Dieu, au pire cliché de l'iconographie religieuse. Le messager s'enfuit, porteur de la réponse, désormais habituelle.

La fausse sortie de l'acteur

Le dernière scène reprend des motifs connus, rassemblés pour une ultime revue des possibilités qui leur restent : envisager de partir, contempler l'arbre, se donner un rendez-vous avec Godot pour le lendemain, laisser ses chaussures, envisager de se pendre. Ces activités rituelles se succèdent quasi machinalement, avec peut-être davantage de noirceur, de fatigue, de sentiment d'inutilité et de désespoir. Deux pistes de sens plus précises concernent Godot, tout d'abord la punition :

« VLADIMIR.— Il faut revenir demain.

ESTRAGON.— Pour quoi faire ?

VLADIMIR.— Attendre Godot.

ESTRAGON. — C'est vrai. *(Un temps.)* Il n'est pas venu ?

VLADIMIR.— Non.

ESTRAGON. — Et maintenant il est trop tard.

VLADIMIR.— Oui, c'est la nuit.

ESTRAGON.—Et si on le laissait tomber ? *(Un temps.)* Si on le laissait tomber ?

VLADIMIR.— Il nous punirait. […] »

La seconde issue repose sur la venue de Godot, car « ils seraient sauvés ».

Un dénouement classique, qui indiquerait avec certitude et précision le sort de tous les personnages en cause, est impossible. On peut difficilement imaginer une fin plus ouverte. Il n'y a d'ailleurs rien à dénouer dans cette intrigue qui n'en est pas une. Un dernier effet burlesque désamorce le pathétique, puisqu'Estragon s'apprête à sortir sans pantalon, la corde qui le maintenait n'ayant pas résisté à leur projet de pendaison.

Nous assistons donc à une sortie immobile, à une dernière image, figée semble-t-il pour l'éternité, de personnages arrêtés dans leur action. Ici encore la parole et l'action s'annulent, les corps contredisant l'intention exprimée :

« VLADIMIR.— Alors on y va ?
ESTRAGON. —Allons-y.

Ils ne bougent pas.

RIDEAU »

III. Composition de la pièce

La symétrie des parties

Il est traditionnel d'examiner une œuvre du point de vue de sa « progression » ; ce terme, courant pour l'analyse littéraire, exclut qu'une autre solution soit envisageable. Or les deux actes qui composent la pièce se ressemblent étrangement et reprennent, scène par scène, les mêmes données dramatiques, c'est-à-dire les mêmes situations de base avec les mêmes personnages, les mêmes enjeux et le seul et unique projet qui les maintient en scène, le rendez-vous quotidien avec Godot. Cette construction enfreint les règles connues de la dramaturgie, traditionnellement envisagée comme une mécanique qui se tend puis qui se détend. Nous devons ici exclure de notre vocabulaire la notion d'intrigue, de conflit, d'exposition ou de dénouement. Les deux fins de journée parallèles se déroulent selon le même cérémonial, l'entrée des deux principaux protagonistes, le passage de Pozzo et Lucky, la venue du messager et la tentative de sortie. L'essentiel repose sur les variations entre ces moments examinés terme à terme, notamment le changement de statut de Pozzo et Lucky entre ce qui s'apparente à un aller et un retour. Jamais nous n'avons l'impression d'avancer ou de progresser dans ce système répétitif dont les bafouillages, les redites et les enlisements conduisent au sentiment d'une avancée immobile ou d'une immobilité saisie par le désir de mouvement.

Ce système, parfaitement envisageable en terme de construction musicale (on pourrait parler de « reprise » avec variations pour la seconde partie), est sérieusement perturbé par le brouillage des indications temporelles. Il s'agit, en apparence, de deux soirées suc-

cessives, donc d'une mesure du temps admissible et repérable.
Mais, nous l'avons vu, ces repères sont moins sûrs qu'ils n'en ont
l'air. La transformation de l'arbre semble indiquer un passage du
temps bien plus important qu'une nuit entre les deux actes, les
pertes de mémoire des personnages ou leurs dénégations sur le fait
qu'ils se sont déjà vus « la veille » ou tout autre jour ajoutant au
sentiment d'indépendance de chacune des parties. Elles se ressemblent mais il se pourrait bien qu'elles n'aient rien à voir entre elles,
en tout cas que leur mise bout à bout ne soit pas clairement appré-
hendée par la conscience des personnages et qu'elle corresponde à
une sorte d'arbitraire. Les deux objets scéniques placés l'un après
l'autre par le dramaturge se ressemblent, mais bien des correspon-
dances entre eux sont niées de l'intérieur par les personnages, donc
par Beckett qui brouille la structure cohérente qu'il propose au
moment où nous nous sentons à même de la saisir, et qui annule
toute les corrélations qui donneraient aux scènes des relations de
cause à effet explicites.

Une dramaturgie des fausses pistes

Il en est de même de l'attente de Godot qui constitue l'action
fondatrice et la justification de la pièce en même temps que son
titre. Une fois cette attente admise par le lecteur ou le spectateur,
bien qu'elle constitue un enjeu dramatique mince au regard des
intrigues traditionnelles, Beckett la mine de l'intérieur en détrui-
sant progressivement sa logique propre. Les personnages attendent
un être dont ils ne savent rien, dont ils espèrent tour à tour peu de
choses (un gîte) et l'essentiel (être sauvés). Ils ne sont sûrs ni du lieu
du rendez-vous ni de l'heure, et ils prennent Pozzo pour Godot.
Ces raisons accumulées entraînent le spectateur à ne plus croire en
la venue de Godot ni à son existence. C'est là que Beckett réintro-
duit des éléments tangibles qui, via la venue du garçon-messager,
redonnent à Godot un peu d'épaisseur et au spectateur des raisons
d'y croire. On pourrait dire que la dramaturgie de la pièce est celle
des fausses pistes. Beckett joue le jeu des conventions dramatiques
en introduisant un personnage et une logique à l'action, puis

détruit ensuite progressivement cette logique et, une fois celle-ci abandonnée, lui redonne de l'épaisseur. Cette structure pousse alternativement le spectateur à s'abandonner au système dramatique cohérent qu'il connaît, c'est-à-dire à croire à ce qui lui est proposé, puis, quand il n'y croit plus du tout, à se demander à nouveau s'il ne ferait pas bien d'y croire un peu. Il est finalement placé dans la même situation que Vladimir et Estragon face à l'attente de Godot, qui pourrait se traduire prosaïquement pour lui par « Est-ce qu'il va finalement arriver quelque chose ? » Cet espoir dans une issue spectaculaire est également symétrique d'une autre issue, cette fois du point de vue du sens, qui est celle de l'existence. La construction de la pièce met en œuvre par sa forme les conditions d'une attente anxieuse, irritée et peut-être vaine, qui rassemble acteurs et spectateurs et qui est en même temps une des clefs majeures du réseau de sens.

Le spectacle doit continuer

Les multiples allusions à la scène et à la présence de spectateurs ainsi qu'à l'existence d'une représentation en train de se dérouler constituent un autre face de la construction de l'œuvre. Beckett enfreint les règles de l'illusion théâtrale selon lesquelles ce qui est donné à voir doit se donner pour véritable et selon lesquelles la fiction représentée ne doit pas contenir d'allusion directe à la machinerie théâtrale qui la sous-tend.

L'obsession des personnages, continuer à attendre Godot, correspond à la préoccupation des acteurs tenus de poursuivre le spectacle. Godot et Estragon, acteurs-personnages, sont lancés dans le vide théâtral avec des moyens réduits, si bien qu'ils accueillent Pozzo comme un solide renfort, et, en effet, c'en est un. Ici encore, Beckett avoue qu'il connaît les règles du jeu de la représentation théâtrale. Tour à tour, il les respecte en les exhibant, puis il les enfreint ou fait mine de les oublier.

Vladimir et Estragon connaissent à fond le répertoire des duettistes de music-hall, tenus de se renvoyer la balle sous forme d'une pseudo-conversation où les questions et les réponses sont connues à l'avance des partenaires. Pozzo appartient à la race des montreurs de foire, mi-jovial mi-inquiétant, qui dispose d'une créature vaguement monstrueuse capable de danser et de penser. Toute la première partie est bâtie sur le mode d'un « show » où le numéro suivant arrive au moment où l'attention risque de se lasser dangereusement. Puisqu'il faut faire du théâtre, semble dire Beckett, faisons-en. Il ne recule donc pas devant les effets éculés, les plaisanteries douteuses ou l'entrée spectaculaire susceptible de sortir le spectateur de son marasme. Tout est bon pour échapper au vide de la scène et au silence. Tout, jusqu'au moment où les personnages frôlent la catastrophe, notamment dans la seconde partie, soit parce qu'ils n'ont plus d'idée pour continuer, soit parce qu'ils se lassent de l'obligation qui leur est faite de constamment produire du jeu alors qu'ils pourraient dormir ou tout simplement quitter la scène. Le dramaturge ne recule pas devant ce risque de catastrophe, cette sensation du « rien » qui annulerait tous les efforts déployés jusque là. Le leitmotiv « on attend Godot » rythme l'œuvre comme solution de secours quand ils ne voient rien d'autre à se dire. Godot est donc littéralement le personnage sauveur, celui dont l'entrée en scène permettrait toutes les relances dramatiques après un fameux coup de théâtre. La construction d'un spectacle bâti sur du vide, le fil tendu au-dessus du gouffre, est une autre métaphore de la condition humaine. Il faut continuer à jouer comme il faut continuer à vivre, avec ou sans l'aide d'un personnage présent ou absent dans la coulisse. Cette fois encore, l'organisation de la pièce rejoint l'émergence du sens, à travers l'expérience sensible du néant, en d'autres termes, l'arrêt du spectacle.

Une construction circulaire ?

Le brouillage des repères temporels et la correspondance entre les deux parties permettent d'envisager une construction circulaire, une action en boucle qui recommencerait indéfiniment. Les pertes de mémoire se justifieraient en partie par l'accumulation de journées toutes semblables dont nous ne verrions que deux échantillons, suffisants pour susciter les autres dans l'imagination. La première journée se réfère à un passé récent, apparemment semblable au présent, et l'image finale, arrêtée sur l'immobilité des personnages, suggère qu'ils pourraient bien recommencer à chaque fois à la case départ. La chanson de Vladimir, au début de la seconde partie, est d'ailleurs construite sur le mode d'un récit « qui se mord la queue ». *En attendant Godot* romprait donc avec une conception rectiligne de la fiction qui emmène les spectateurs d'un point à un autre, de l'exposition au dénouement, après un écoulement effectif du temps. Le cercle infernal, bâti sur la répétition obligatoire des mêmes dialogues, des mêmes actions et des mêmes rencontres, n'aurait pas d'issue. Cette conception est corroborée par la dimension de spectacle dans le spectacle et par le fait que les personnages s'avouent parfois acteurs, tenus de poursuivre la représentation. Le statut de toute représentation théâtrale est précisément celle de la répétition, soir après soir, à de légères variantes près, du même texte et des mêmes rencontres imposées par l'auteur-démiurge (ou par le metteur en scène) qui, lui, n'entre jamais et qui serait le seul à être en mesure de modifier le scénario.

Des indices d'une évolution entre la première et la seconde partie, notamment le changement important des statuts de Pozzo et Lucky, s'opposent en partie à cette hypothèse radicale. Il n'en reste pas moins que l'œuvre est tout entière construite sur la difficulté à poursuivre, à avancer, sur l'angoisse du ressassement obligatoire, sur la perte des repères temporels et sur l'inévitable rendez-vous manqué de la fin de soirée.

Enjeux et échos
d'*En attendant Godot*

I. Le temps, figure centrale

Vecteur de la fiction qui s'organise autour de l'attente, réseau de sens majeur qui se construit comme une métaphore de l'œuvre, le temps est une figure obsessionnelle qui subit dans *Godot* tous les brouillages et toutes les défaillances, du ressassement à la perte de mémoire. Même la compréhension de l'action ne s'effectue que dans cette relation majeure à la temporalité.

La relation entre le temps et l'action

En attendant Godot passe pour une pièce où il ne se passe rien et dont les enjeux sont si éloignés de la notion d'action qu'il vaut mieux renoncer à ce type d'analyse. Bien sûr, il existe dans l'histoire du théâtre bien d'autres pièces – à commencer par *Bérénice* – qui sont particulièrement peu « chargées de matière ». Mais la notion d'action est ici particulière. Il ne faut pas chercher dans la pièce une intrigue au sens classique, assortie d'une série d'événements, d'une exposition, d'un nœud et d'un dénouement. Rien ne s'y noue ou ne s'y dénoue vraiment, comme nous l'avons vu pour la construction du texte. En fait, la question de l'action est liée à celle de l'organisation temporelle dans une œuvre où les personnages passent leur temps à se demander ce qu'ils vont « faire ». La question de l'action est comme renvoyée du côté des personnages et de leur difficulté à agir.

Pourtant, ils « font » beaucoup tout au long de la pièce, ils accumulent des micro-actions successives qui ne sont habituellement pas montrées au théâtre parce qu'elles ne sont pas considérées comme intéressantes ou qu'elles renvoient aux activités communes de gens ordinaires. Mettre ses chaussures, manger, deviser, envisager fugitivement de se pendre, faire ses exercices, uriner, attendre, sont des « activités » marquées du sceau du quotidien mais sorties ici du cadre habituel. Comme grossies à la loupe du temps, ces petites actions péniblement accomplies occupent tout le devant de la scène. Même dans le théâtre naturaliste, il est rare qu'un dramaturge s'arrête longuement sur les préoccupations de nourriture des personnages ou sur leur difficulté à uriner. Nous sommes en droit de nous demander si c'est bien là l'essentiel. C'est l'ambiguïté d'une pièce où beaucoup d'activités humaines sont passées en revue comme s'il s'agissait d'une diversion dans l'attente d'une action qui se révélerait enfin majeure. Elles paraissent comme le succédané des « grands événements » : luttes de pouvoir, projets amoureux, petites et grandes ambitions qui révèlent les pulsions humaines, meurtres ou déchirements de conscience, qui sous-tendent ordinairement l'action théâtrale.

Le théâtre de Beckett change de focale. Les grands « sujets » qui intéressent les dramaturges sont ici évacués ou renvoyés en dehors de la scène. Il ne reste que des « petites actions », uniquement considérées, semble-t-il, dans la perspective de l'attente ou, si l'on veut, « en attendant » mieux. Il faut alors mesurer si ces petits sujets se requalifient dans la perspective d'un Grand Sujet qui donnerait son sens à la pièce, si ses petites actions ne sont acceptables qu'à la lumière d'une Grande Action, par exemple l'attente de la mort. Le pari beckettien est d'évacuer les « divertissements majeurs » du théâtre, le grand récit des actions humaines, et de ne retenir que ce qui échappe aux mailles du filet, le non-récit des micro-actions qui tissent la vie humaine en dehors de toute fiction épique ou lyrique, de tout contexte social précisément désigné.

Au moment de la création de la pièce, et en l'absence de toute exégèse officielle, il n'était pas étonnant qu'un spectateur, s'il cherchait l'action et les fameuses « situations » qui constituent une intrigue, ne les trouve pas plus que les personnages ne trouvaient Godot. Depuis, le succès de l'œuvre a replacé la question de « l'intrigue » dans un contexte interprétatif où ce qui se passe sur scène est désormais justifié par un méta-texte considérable. Tout devient logique quand des propositions d'interprétation donnent du sens, et parfois trop, à ce qui fut considéré d'abord comme du vide reflétant une absence totale de savoir-faire dramatique. Cette première rencontre avec le « rien » beckettien doit donc être examiné à la lumière de l'organisation temporelle de l'œuvre et d'un nouveau type de savoir-faire rompant avec les principes ordinaires d'une bonne organisation dramatique.

Le contexte dramaturgique

Les conventions temporelles

La dramaturgie classique et ses règles de composition dramatique pèsent sur notre lecture de l'œuvre théâtrale bien plus qu'on ne l'imagine. Les romantiques ont voulu briser le système de conventions en utilisant librement le temps et l'espace à l'intérieur d'une fiction qui se déploie sur « la grande scène du monde » ; mais le théâtre français, qu'il s'en accommode ou qu'il s'en démarque, porta longtemps l'empreinte des traditions dans la conception spatio-temporelle des œuvres. Bien plus que le simple respect de règles dont la stricte application n'alla guère au-delà du classicisme, les fameuses unités de temps (les vingt-quatre heures) et de lieu (un espace unique) s'accompagnaient d'une réflexion dramaturgique très poussée sur la gestion du temps. J. Scherer rappelle par exemple, dans *La Dramaturgie classique en France* :

> « Il ne faudrait pas en conclure que la règle de l'unité de temps est une règle extérieure, une pure condition de forme, qui n'aurait pas sa place dans une étude de la structure interne de la pièce de théâtre à l'époque classique. Si le nœud est action, et toute action se déroule nécessairement dans le temps, la quantité de temps que se donne l'auteur dramatique est bien l'un des éléments premiers du problème qu'il se pose, un élément inhérent à la conception de l'œuvre et non à son exécution. »

Il s'agit de mesurer ce que représente l'usage du temps dans la conception de l'action ou de l'intrigue et de voir ce que fait un dramaturge du temps qu'il se donne. Le temps s'analyse par rapport à la conduite de l'action qui se déroule sur scène mais aussi par rapport à ce qui se déroule hors scène, dans les entractes ou dans ce qui précède l'action. L'abbé d'Aubignac, fin analyste de la composition dramatique, s'interroge ainsi dès 1657 dans sa *Pratique du théâtre* sur ce qu'il appelle le « négoce de la scène » et sur le problème du « temps à perdre » :

> « ... le plus bel artifice est d'ouvrir le théâtre le plus près qu'il est possible de la catastrophe, afin d'employer moins de temps au négoce de la scène et d'avoir plus de liberté d'étendre les passions et les autres discours qui peuvent plaire. »

L'autre question, également essentielle, qui préoccupait les classiques concernait la relation entre le temps de la fiction et le temps de la représentation. Les doctes l'envisageaient surtout du point de vue de la vraisemblance, faisant remarquer qu'une intrigue trop étendue dans le temps s'éloignait tellement de la durée de la représentation qu'elle en devenait peu crédible. Un des arguments des défenseurs de l'unité de temps était l'absence de vraisemblance des œuvres où la durée de l'intrigue s'étend par exemple sur une vie humaine, et n'a donc plus aucun rapport avec les deux ou trois heures que dure sa représentation. Pour certains, une bonne pièce était celle qui faisait pratiquement coïncider le temps de la fiction et le temps de la représentation.

Toute étude du temps au théâtre passe toujours par cet examen des deux temporalités différentes :

> « Il est clair que le *temps théâtral* peut être compris comme le rapport entre l'une et l'autre, et que ce rapport dépend non tant de la durée respective de l'action représentée et de la représentation que du mode de représentation : s'agit-il ou non de la « reproduction » (mimétique) d'une action réelle ? S'agit-il en revanche d'une cérémonie dont la durée propre est singulièrement plus importante que celle des événements qu'elle " joue " ? » (Anne Ubersfeld, *Lire le théâtre*).

Le temps théâtral peut être étiré ou contracté, morcelé ou unifié, selon les besoins de l'action, les choix temporels d'une dramaturgie consistant à créer un rapport particulier entre ces deux temps qui agissent directement sur le mode de réception de l'œuvre par le spectateur. Les dramaturges qui mirent en cause l'organisation du temps au théâtre savaient qu'ils touchaient là un des principes majeurs de la représentation théâtrale par la désorganisation de la durée.

Les dérèglements du temps

Alfred Jarry avait montré la voie dans *Ubu roi* (en 1896) en procédant comiquement dans toute la pièce à des raccourcis brutaux qui ôtent toute vraisemblance psychologique aux personnages et font se succéder des actions dont les causes et les effets ne sont jamais explicités ni justifiés. Ainsi, à l'acte III scène 2 d'*Ubu*, les nobles défilent à grande allure devant le Père Ubu pour des scènes répétitives et accélérées qui se terminent toutes de la même façon :

> « PÈRE UBU.— [...] Qui es-tu, bouffre ?
> LE NOBLE.— Comte de Vitepsk.
> PÈRE UBU. — De combien sont tes revenus ?
> LE NOBLE.— Trois millions de rixdales.
> PÈRE UBU.— Condamné !
> *(Il le prend avec le crochet et le passe dans le trou.)* »

Le jugement, la sentence et son exécution sont ramenées à leur plus simple expression, un meurtre à l'état brut dont la répétition, source de comique, n'exclut pas la violence.

Apollinaire, dans la préface des *Mamelles de Tirésias*, représentée en 1917, repousse avec la même ardeur la pure imitation de la réalité et la création de symboles. Il se recommande même du « surréalisme », qui n'est évidemment pas celui qui sera défini par Breton dans le *Manifeste* de 1924 :

> « Le théâtre n'est pas plus la vie qu'il interprète que la roue n'est une jambe. Par conséquent, il est légitime, à mon sens, de porter au théâtre des esthétiques nouvelles et frappantes qui accentuent le caractère scénique des personnages et augmentent la pompe de la mise en scène [...]. »

Dès le début de la pièce, Apollinaire joue sur le temps dont il provoque l'accélération en montrant le personnage de Thérèse en proie à une transformation aussi soudaine que rapide, dès qu'elle s'est débarrassée de ses mamelles qui s'envolent vers le ciel sous la forme de ballons :

> « Qu'est-ce à dire
> Non seulement ma barbe pousse mais ma moustache
> aussi
>
> *Elle caresse sa barbe et retrousse sa moustache qui ont brusquement poussé.*
>
> Eh diable
> J'ai l'air d'un champ de blé qui attend la moissonneuse mécanique. » (I, 1)

Apollinaire se déclare l'ennemi du « trompe-l'œil qui convient au cinéma » mais est « ce qu'il y a de plus contraire à l'art dramatique », à un « art moderne, simple, rapide avec les raccourcis ou les grossissements qui s'imposent si l'on veut frapper le spectateur ». (Préface des *Mamelles de Tirésias.*)

Les surréalistes, et notamment Roger Vitrac, leur meilleur représentant pour le théâtre, n'auraient pas dit mieux.

Dans cette lignée, les auteurs des années cinquante se livrèrent à divers dérèglements du temps. Ils parodièrent les « trucs » de leurs confrères qui justifiaient avec plus ou moins de bonheur le passage du temps dans la représentation. Eugène Ionesco, dont la création de *La Cantatrice chauve* a précédé de peu *En attendant Godot,* fit ainsi reprendre du service à la pendule des auteurs réalistes qui utilisaient ce moyen pour « donner l'heure » des événements de la fiction au spectateur. Mais Ionesco l'avait rendue folle, la faisant sonner à tout propos et hors de propos, affirmant ainsi que, décidément, le « temps » de la représentation avait bien changé.

Quelques farces de potaches repérables ici et là ne suffisent pas à masquer qu'il s'agit d'une entreprise radicale, la perte des repères temporels s'accompagnant toujours d'une mise en cause de la fable et d'un brouillage de l'ancien accord entre les deux « temps » du théâtre. Ce travail de sape prend une forme particulière dans *En attendant Godot.* Si le temps théâtral y est déréglé, il met en question par contrecoup la perception du temps référentiel, celui du monde dans lequel nous vivons.

Le système temporel d'*En attendant Godot*

La relativité du temps

Contrairement à certains textes ultérieurs du même auteur, celui-ci fournit un nombre très important de marques du temps et quelques précisions spatiales. Si le lecteur procède à un relevé complet des indications de temps, dans le dialogue et dans les didascalies, il est en mesure, à première vue, de situer l'action comme s'il s'agissait de n'importe quel texte réaliste. Le premier acte a lieu sur une « route à la campagne, avec arbre », et le second le « lendemain. Même heure. Même endroit », bien que l'arbre, alors, « porte quelques feuilles ».

Les personnages se réfèrent à leur âge et à un passé commun pour Vladimir et Estragon. Mais tout se complique parce que leurs mesures du temps sont incertaines ou contradictoires. « Il fallait y penser il y a une éternité, vers 1900 », déclare Vladimir qui évoque un suicide du haut de la tour Eiffel, « parmi les premiers. » En réalité, la tour Eiffel ayant été inaugurée en 1889, au moment de la création de la pièce les personnages auraient bien plus de soixante ans si on tient compte de ces données objectives. « Soixante ? Soixante-dix ? » interroge Pozzo qui s'avoue « indiscret ». Pour lui :

> « Il y aura bientôt soixante ans que ça dure... *(Il calcule mentalement)...* oui, bientôt soixante. *(Se redressant fièrement.)* On ne me les donnerait pas, n'est-ce pas ? *(Vladimir regarde Lucky.)* À côté de lui j'ai l'air d'un jeune homme, non ? »

Personne ne confirme ou n'infirme ces mesures du temps fournies par Pozzo, qui fait les questions et les réponses. Les lieux communs sur leurs âges respectifs nous permettent de conclure à la relativité du temps. Si la tour Eiffel est un repère de taille, leur « présent » varie en fonction des dates de représentation, si bien que même cette indication pseudo-historique n'est pas sûre, pas plus que les repères d'âge pris par comparaison entre les personnages.

La durée de leur existence se mesure à l'aune de l'éternité. Les références à la Bible et à l'histoire sainte, à l'histoire des deux larrons dont un seul sera sauvé, comme si c'était hier, donnent un autre point de départ au temps subjectif des personnages :

> « ESTRAGON.— Possible. Je me rappelle les cartes de la Terre sainte. En couleur. Très jolies. La mer Morte était bleu pâle. J'avais soif rien qu'en la regardant. Je me disais, c'est là que nous irons passer notre lune de miel. Nous nagerons. Nous serons heureux. »

Cette fois, c'est la mémoire qui actualise un passé ancien, et le souvenir qui ranime un passé très lointain, inscrit dans l'histoire de l'humanité. Estragon en fait un élément personnel et sensible qu'il inscrivait dans son futur. « Nager dans une mer Morte bleu pâle pour sa lune de miel » est un projet de poète, Estragon l'a été.

Les quatre personnages seraient âgés, voire très âgés, comme le confirment leurs douleurs physiques. Mais certaines actions qu'ils accomplissent et qui réclament une certaine agilité des acteurs contredisent plutôt cette affirmation.

À ce stade de l'analyse, l'action semble donc se passer deux jours de suite, non datés mais bien après 1900, sur une route non située géographiquement et près d'un arbre d'une essence incertaine, entre quatre personnages d'un âge avancé qui font plus ou moins leur âge...

Les déclinaisons du temps

Le passé lointain des personnages est évoqué de manière allusive, surtout à l'aide de repères géographiques. La carte de la Terre Sainte de l'école avec ou sans Dieu, la Roquette, la tour Eiffel, le Vaucluse et les vendanges leur fournissent un passé imprécis mais concret, comme s'ils venaient bien de quelque part et que ces noms de lieu les accréditaient en tant que personnages « réels ». Ce passé est généralement regretté. Ainsi, Lucky n'est plus ce qu'il était et c'est pourquoi Pozzo veut s'en débarrasser.

La passé proche est constamment remis en question comme si les personnages avaient du mal à s'y situer ou comme s'il se mêlait au présent :

> « ESTRAGON.— Mais quel samedi ? Et sommes-nous samedi ? Ne serait-on pas plutôt dimanche ? Ou lundi ? Ou vendredi ?

VLADIMIR *(regardant avec affolement autour de lui, comme si la date était inscrite dans le paysage).*— Ce n'est pas possible. ESTRAGON.— Ou jeudi. »

Le futur est réduit à sa plus simple expression. Pozzo a un projet situé dans un futur proche, amener Lucky au marché de Saint-Sauveur, action qui n'est pas accomplie. Vladimir et Estragon évoquent parfois un projet ancien, antérieur à leur présent et également non accompli, comme la baignade dans la mer Morte. Leur futur immédiat se réduit à quelques projets d'action (se pendre), abandonnés ou avortés. Il est donc concentré sur la venue de Godot, futur obsessionnel qui pourrait changer le cours de leur existence.

Il leur reste le présent, un temps d'autant plus perceptible que s'y superposent le présent de l'action et celui de la représentation. Dans les deux cas il s'agit d'attendre et de faire en sorte que les choses avancent. Toute leur énergie est concentrée sur l'accomplissement de ce présent et sur la perception sensible de la durée. Entre le « rien à faire » qui ouvre la pièce et l'interminable attente de Godot, ce présent semble s'étendre à l'infini et prendre une couleur d'éternité, dès lors que sa clôture (l'arrivée de Godot) est sans cesse repoussée au lendemain et que leur présent devient élastique, comme un sablier brutalement retourné au moment où il serait presque vide.

Brouillages

Tout ceci demeure cependant compréhensible pour le spectateur, alors que, du point de vue des personnages, la plupart des repères temporels sont abolis. Cette incohérence fut sans doute une des nouveautés les plus difficiles à faire admettre au moment de la création. Passe encore que l'auteur fasse pousser des feuilles sur l'arbre en l'espace d'une nuit, cela peut toujours être analysé comme un symbole d'on ne sait quelle renaissance ou de quelque élan printanier. Mais quand les personnages admettent s'être vus la veille, puis qu'ils ne se reconnaissent plus, ils privent la fable de toute cohérence. Pozzo ne sait plus, au second acte, s'il a déjà vu Vladimir et Estragon au premier acte. Estragon, après avoir douté de l'identité de Pozzo, propose « D'essayer avec d'autres noms, l'un après l'autre. Ça passerait le temps. On finirait bien par tomber sur le bon. » Et en effet, ça marche, Pozzo réagissant au premier nom (Abel), ou plutôt au premier son. Estragon s'obstine à prendre Pozzo pour Godot, même bien après qu'il semble l'avoir identifié.

La perception de l'action par les personnages s'écarte de celle du spectateur, qui, lui, a bel et bien assisté à la rencontre entre eux et qui accepte mal la dissolution des identités de ceux qu'il a identifiés une fois pour toutes. Si le temps n'est plus fiable et si les personnages ne se souviennent plus de grand-chose et ne savent plus ce qu'ils font, ce sont les conventions dramatiques qui sont mises en crise, toutes les règles habituelles de la circulation de l'information entre la scène et la salle. Même s'il sait par expérience qu'un personnage de théâtre est capable de mensonge ou d'erreur, même s'il a l'expérience d'identités doubles ou de changements de noms à travers sa connaissance de Shakespeare ou de Marivaux, le spectateur ne trouve rien d'équivalent dans son « encyclopédie personnelle », pour reprendre l'expression d'Umberto Eco. Il est alors tenté, faute de grille d'analyse, et dans son obstination à trouver du sens, de qualifier de « folie » ou « d'absurdité » ce qui se déroule devant lui. On comprend dès lors pourquoi cette dramaturgie a parfois été qualifiée « d'anti-théâtre », de théâtre du « non-sens » ou de « théâtre de l'absurde ».

Cela n'explique qu'imparfaitement les dérèglements du temps. En ruinant la cohérence de la fable et sa logique d'intrigue bien machinée, Beckett ne fait pas forcément preuve d'absurdité et œuvre de destruction. S'il ne raconte pas vraiment une « histoire », c'est aussi parce qu'il estime qu'il n'y a plus d'histoire intéressante à raconter, et que les enjeux du théâtre ne sont pas seulement dans cette posture d'un auteur qui installe une fiction prête à consommer par des spectateurs. En panne de récits et de « divertissements », il se situe aussi en marge de l'histoire, hors de la perception du temps historique construit sur la logique de la progression et de l'explication. La durée qu'il propose n'est plus celle qui est mise au service du récit. C'est la durée en elle-même, dans son épaisseur sensible, qui devient un des vecteurs de l'œuvre.

L'épaisseur de la durée

De très nombreuses allusions à l'écoulement du temps présent ponctuent la pièce. Du point de vue du temps de la représentation, il s'agit d'un temps limité qui commence au lever du rideau et s'arrête à la fin du deuxième acte, en principe avec leur sortie. Mais comme les acteurs ne sortent pas à la fin de la pièce, cette durée habituellement mesurable se trouve elle-même faussée par l'immobilité finale. Tous leurs efforts pour aller jusqu'au bout ne servent à rien, même s'ils enfreignent cette loi non écrite du théâtre en annonçant à plusieurs reprises qu'ils mesurent le temps, pour eux comme pour le spectateur. Ces effets d'annonce apparaissent parfois comme des plaisanteries provocatrices : « C'est long, mais ce sera bon », lance d'entrée Estragon à la cantonade ; « Nous commencions à flancher, voilà notre fin de soirée assurée », assurent-ils en accueillant Pozzo ; ou encore : « Comme le temps passe quand on s'amuse. »

Tout se déroule comme si les spectateurs étaient invités à partager l'expérience de la durée de la représentation, sur le mode d'une attente d'autant plus exaspérante qu'il n'ont aucune prise sur son écoulement ni sur son issue, à moins qu'ils ne sortent et ne quittent la salle. Ordinairement, le spectateur est seul juge de son ennui et du regard qu'il porte sur la représentation et sur les réactions qu'elle provoque chez lui. Si les acteurs expriment eux-mêmes une opinion sur ce qui est en train de se dérouler, sur le manque d'intérêt de l'action ou sur la difficulté qu'ils ont à poursuivre, ils devancent le spectateur qui a la surprise d'entendre dans la bouche des personnages les commentaires ironiques qu'il se réservait de faire ou qu'il émettait *in petto*.

De ce point de vue, la pièce est une machine extraordinairement perverse à faire mesurer le temps de l'attente et à donner à percevoir l'épaisseur du présent. Le « rien » de la durée qui n'en finit pas de s'accomplir est émaillé de « divertissements » qui rappellent douloureusement au spectateur son statut, au cas où il serait venu pour passer une « charmante soirée ». Acteurs et spectateurs, embarqués dans une même aventure, sont engagés dans une difficile navigation à vue, sur le mode d'une apparente improvisation laissée au gré de l'imagination de personnages-acteurs de deuxième ordre. L'auteur s'est retiré dans la coulisse comme s'il n'était pour rien dans cette affaire ou comme s'il avouait son impuissance ou son échec à faire entrer Godot et renonçait à tout « négoce de la scène », comme disait l'abbé d'Aubignac. La véritable durée qui s'instaure sur scène n'est plus la durée prévisible et jouissive de la machinerie théâtrale fertile en coups de théâtre, mais celle, aléatoire et douloureuse, de cerveaux fatigués qui se demandent au coup par coup, seconde après seconde, ce qu'ils vont bien pouvoir trouver pour que le vide de la scène soit comblé et que la représentation aille jusqu'à son terme. Même dans cette hypothèse, il ne s'agira que d'une victoire limitée et très provisoire puisque le système théâtral oblige les acteurs (mais, il est vrai, pas les spectateurs), à recommencer le lendemain.

II. Langage et parole

La parole au théâtre est ordinairement l'outil de communication entre les personnages et le véhicule des informations adressées par l'auteur au lecteur ou au spectateur.

Or, *En attendant Godot* ruine une approche uniquement centrée sur les contenus des énoncés, puisque ceux-ci tendent à disparaître ou ne sont pris en charge qu'avec difficulté par les personnages. Tout se passe comme si les personnages n'avaient rien à se dire, pas de raison idéologique ou psychologique de prendre la parole, sinon cette fameuse obligation de « continuer » en passant le temps. Les outils d'analyse traditionnels n'ont donc guère d'efficacité, et, dès lors qu'il n'y aurait pas grand-chose à comprendre, les discours de certains exégètes butent sur un constat de « difficulté à communiquer » qui ne résoud rien, ni du point de vue du sens, ni du point de vue de la dramaturgie.

Dès le début de la pièce, Vladimir fait appel à la bonne volonté d'Estragon dans le jeu de l'échange verbal. Le dialogue apparaît alors comme une obligation dictée par la situation de l'attente et par l'urgence de combler le vide de la scène. S'ils n'ont rien à se dire, s'ils se sont déjà tout dit et aucune nouveauté liée à l'action n'intervient, la parole s'étire avec difficulté autour du plus mince sujet de conversation venant à apparaître. À la limite, certaines de leurs répliques deviennent interchangeables, puisqu'ils connaissent déjà les questions et les réponses. Cette mécanique de la conversation a souvent été repérée comme s'apparentant aux dialogues de clowns, dans la mesure où ceux-ci connaissent leur texte à l'avance et où leurs interventions successives n'a pas pour effet un véritable échange. Ils doivent fatalement arriver à la « chute » qui clôt leur sketch et fait apparaître les répliques successives comme un parcours obligatoire où les différentes postures qu'ils occupent répondent toujours au même « patron », à la même structure verbale qui produit du comique.

La tradition du dialogue clownesque

Des rapprochements entre les dialogues d'*En attendant Godot* et la tradition du dialogue clownesque ou des duettistes de music-hall ont souvent été faits. Nous ne les envisageons pas nécessairement comme des « sources » de la pièce, mais l'examen de quelques entrées clownesques traditionnelles s'avère troublant. Un historien du cirque, Tristan Rémy, a recueilli directement auprès des grands clowns de la tradition les dialogues de numéros qui n'appartiennent en propre à personne mais qui se sont transmis de génération en génération et servent de base à l'invention. Tristan Rémy écrit en introduction à son recueil, intitulé *Entrées clownesques* (L'Arche, 1962) :

> « Depuis que, dédaignant de la considérer sur le plan littéraire – les entrées clownesques n'accéderont jamais à cette dignité –, on la juge du seul point de vue technique, on sait que la qualité d'une entrée dépend de l'habileté des clowns à tirer d'eux-mêmes son efficacité comique et sa puissance de suggestion. Arriver, les mains dans les poches, sur la piste nue, et travailler avec "rien", telle est la loi primordiale du cirque. »

Ce travail sur le « rien » est précisément l'obligation dans laquelle se trouvent Vladimir et Estragon, qui insistent à plusieurs reprises sur leur solitude et qui cherchent divers moyens pour que « ça avance » en utilisant leurs différents savoir-faire et en premier lieu leur habileté à faire la conversation et à se renvoyer la balle.

Une entrée intitulée « Charge et décharge ! « ressemble étrangement à la première entrée de Pozzo et Lucky. Un clown en quête d'embauche demande à être reçu par le directeur d'un cirque, absent. « À l'auguste harassé, pauvre hère dont il a fait son porteur de la gare au cirque, le clown, qui joue les importants, ne cesse d'ordonner de déposer puis de reprendre, puis de déposer à nouveau sa lourde malle », résume Tristan Rémy.

« M. LOYAL — Monsieur l'Administrateur est parti en vacances.

LÉANDRE — Bien ! Tant pis ! *(À Chico :)* Charge ! *(Il fait quelques pas. Chico plie sous le poids. Léandre, brusquement :)* Décharge ! *(Chico ne retient plus la malle, qui tombe brutalement. Une planche cède d'un côté. Léandre à M. Loyal :)* Pardon, Monsieur. Pourrais-je parler à la secrétaire ?

M. LOYAL — Impossible, la secrétaire est malade.

LÉANDRE — Gravement ?

M. LOYAL — Pas gravement.

LÉANDRE — Qu'a-t-elle ?

M. LOYAL, *impatient* : — Le choléra !

LÉANDRE, *se sauvant, à Chico* — Charge ! *(Chico saisit précipitamment la malle dont le poids l'entraîne en avant. Il trébuche, retrouve en équilibre et prend la fuite derrière Léandre. Au moment de sortir, Léandre à Chico :)* Qu'est-ce que c'est que ça, le choléra ?

CHICO, *las* — Oh, ce n'est rien. C'est un genre de coqueluche.

LÉANDRE, *rassuré* — Décharge ! »

Lucky, le « porteur » de Pozzo, passe également son temps à déposer et à recharger la lourde valise, un siège pliant, un panier à provisions et un manteau, chaque fois que Pozzo lui demande un nouveau service, et leur entrée est annoncée par un « *Bruit de chute. C'est Lucky qui tombe avec tout son chargement.* »

L'analogie entre les deux entrées, les rapports de pouvoir et le mécanisme comique est incontestable. Il existe cependant une différence de taille entre celles-ci. Léandre donne des ordres à Chico en fonction de l'évolution de la situation et des modifications de son « projet » dont il n'est pas maître, étant lui-même en position de demande ; le comique vient de la répétition du même effet et de la destruction progressive de la malle qui finit par laisser apparaître des hardes. Dans *Godot*, Pozzo décide de manière arbitraire des ordres qu'il donne à Lucky et la répétition des efforts du porteur est encore davantage dénuée de sens. Tout se passe comme si la mécanique de chargement et de déchargement, justifiée chez les clowns, était totalement mise à nu, qu'il ne restait plus chez Beckett que l'exercice pur et simple d'une série de décisions arbitraires et de réponses maladroites essayant de les satisfaire.

D'autres entrées de clowns présentent des similarités, comme, par exemple, celle intitulée « Le Poulet » (1945) où Pipo, qui s'apprête à déguster un poulet, devient le spectateur du solide appétit de Rhum qui passait par là. Dans la mesure où elles montrent le fonctionnement de pulsions élémentaires entre des personnages réduits à la simple satisfaction d'un désir humain ordinaire, il n'est pas étonnant que l'on en retrouve les traces dans *En attendant Godot*.

Le dialogue s'étire également autour de chaque action nouvelle dans la mesure où dans l'univers clownesque tout devient compliqué et où de nombreuses explications sont nécessaires. Quand une certaine logique, péniblement acquise, finit par apparaître, elle est immédiatement détruite à cause d'un nouvel élément qui annule les précédents mais dont il faut pourtant s'accommoder.

Les décisions des clowns, comme celles des personnages de Beckett, demandent aussi une prudente enquête préalable. Le dialogue s'étire donc sur le modèle des questions et des réponses (« Ah ! les vieilles questions, les vieilles réponses », fera dire Beckett à Hamm dans *Fin de partie*), comme si la parole servait surtout à vérifier un accord par le langage sur la perception de la réalité. Même ce qui se mesure d'un coup d'œil passe par la logique implacable du langage qui procède par élimination, avec l'obstination d'un logiciel d'ordinateur qui reprend toujours les opérations dans le bon ordre.

Le dialogue beckettien procède sur ce même rythme et avec la même mesure. Toute expérience de l'ordre de la perception du monde, qu'il s'agisse de la quantité de carottes restantes ou de leur goût, d'hypothèses sur l'essence de l'arbre, de l'aide éventuelle à Pozzo ou de la personnalité de Lucky, appelle questions et réponses, commentaires circonspects et palabres étirées. Il semble bien que la parole serve ici d'action et remplace quasiment toute expérience directe du monde.

La dramaturgie de la parole

En attendant Godot appartient à la dramaturgie de la parole, au champ des textes qui s'apparentent à des « conversations », dont ils adoptent certaines règles. L'étude précise du dialogue s'appuie ici sur les conditions d'énonciation, les règles de prise de parole et le fonctionnement de la conversation. Le dialogue obéit à ces règles et les enfreint dans ce que l'on pourrait appeler des « figures conversationnelles », où l'échange verbal permet aux personnages d'occuper différentes postures et en conséquence différentes situations de pouvoir.

Les démarrages difficiles

Dans *Godot*, le dialogue porte les marques de l'absence de nécessité de la parole. Les personnages n'ont rien ou plus rien à se dire, mais, comme il faut qu'ils produisent du texte, ils le font, même si certains démarrages sont manifestement lents et pénibles. Beckett enfreint cette règle non écrite du théâtre qui vaut qu'un dialogue soit ordinairement porteur d'information et de sens. Il rompt aussi avec un principe de vraisemblance selon lequel un personnage qui parle sur scène a quelque chose d'important à dire, à moins que la futilité de ses propos ne soit un trait manifeste de son caractère.

Dans notre société, écrit Goffmann dans *Façons de parler*, « dans l'ensemble (et en particulier entre inconnus) le silence est la norme et la parole quelque chose qui doit pouvoir être justifié. » Ce silence, qui deviendra de plus en plus envahissant dans l'œuvre postérieure de Beckett, au point que chaque syllabe portera son poids de souffrance dans ses ultimes « dramaticules », rôde déjà dans *Godot* et c'est lui qu'il faut vaincre à chaque nouvel échange.

Il arrive donc que les personnages, pour briser ce silence, enfreignent une des maximes conversationnelles dont le linguiste américain Grice a fait la liste, la maxime de relation qui prescrit : « Ne parle pas pour ne rien dire. » Ces moments d'hésitation sont ceux où la machine conversationnelle grince, où les énonciateurs hésitent sur la pertinence du sujet et sur la façon dont ils vont le développer :

« 1. VLADIMIR.— Attendons voir ce qu'il va nous dire.
2. ESTRAGON.— Qui ?
3. VLADIMIR.— Godot.
4. ESTRAGON.— Voilà.
5. VLADIMIR. —Attendons d'être fixés d'abord.

6. ESTRAGON.—D'un autre côté, on ferait peut-être mieux de
battre le fer avant qu'il soit glacé.
7. VLADIMIR.— Je suis curieux de savoir ce qu'il va nous dire. Ça
ne nous engage à rien. »

Dans cet exemple, Vladimir lance un sujet (1) qui est faiblement
repris par Estragon sous une forme qui ne l'engage pas mais qui traduit une coopération minimale, un effort pour renvoyer la balle au
partenaire (2). Celui-ci peut mécaniquement répondre, mais il n'est
pas en mesure de faire une nouvelle proposition (3). Estragon n'est
pas plus prolixe en (4), son « voilà » ne faisant qu'entériner la proposition ou que commenter indirectement l'arrivée officielle du
sujet de conversation, déjà très utilisé. Faute de proposition
d'Estragon, Vladimir réitère (5), sous une forme légèrement différente, son énoncé initial, mais il ne produit rien de nouveau.
Estragon lance ensuite un long énoncé (6) en forme de proverbe
comiquement déformé, qui pourrait s'entendre comme une proposition contradictoire s'il n'était avancé avec autant de prudence et
s'il n'était sybillin. Vladimir ne l'entend pas ou n'y prête pas attention ; il commence à être lancé, bien que (7) reprenne (1) et (5)
sous une autre forme et allongé d'un commentaire, également pru-
dent.

Ce commencement laborieux est entièrement répétitif. La
conversation n'avance pas et n'aboutit à aucune prise de décision,
pas plus d'ailleurs que les répliques qui suivent et qui développe-
ront d'une autre façon la proposition. Ça « patine », même si les
énoncés, très brefs au départ, prennent un peu d'ampleur ensuite
comme si les protagonistes s'échauffaient à mesure qu'ils interve-
naient. Cette séquence s'accélère ensuite et se termine par une indication scénique (« Repos ») qui insiste sur la dimension d'effort.

Quand aucun nouveau sujet de conversation n'est en vue, le
retour à l'énoncé « On attend Godot » pare au plus pressé par une
déclaration minimale qui donne l'illusion d'un échange alors qu'il
s'agit d'une structure répétitive fermée, après laquelle il est difficile
de poursuivre. Quand ils utilisent ce succédané d'échange, pré-
construit et automatisé, les personnages en paient les conséquences
par le risque d'une « panne » plus grave encore :

« ESTRAGON.—Allons-nous en.

VLADIMIR. — On ne peut pas.
ESTRAGON. — Pourquoi ?
VLADIMIR. — On attend Godot.
ESTRAGON. — C'est vrai. *(Vladimir reprend son va-et-vient.)* […] »

Mais il y a le risque des « pannes » radicales, des « silences » qui semblent définitifs, comme une menace permanente qui plane sur le dialogue et ses mécanismes.

Les risques de panne définitive

Dans *En attendant Godot*, les personnages frôlent le silence total. Ces pannes deviendront de plus en plus graves à mesure que Beckett avancera dans son œuvre. Dès *Fin de partie*, les indications de « silence » se développent et deviennent obsédantes au point que l'on se demande à chaque fois si le dialogue reprendra son cours. Les premiers signes de ces pannes existent dans *Godot* bien qu'elles soient plus facilement esquivées et que l'on entrevoie seulement le risque de l'arrêt total. À chaque fois, il s'agit de trouver une nouvelle solution, une diversion ou un « divertissement ». Une des solutions consiste à envisager une action assez importante ou radicale pour que la parole adopte un autre cours :

« VLADIMIR.— Qu'est-ce qu'on fait maintenant ?
ESTRAGON.— On attend.
VLADIMIR.— Oui, mais en attendant ?
ESTRAGON.— Si on se pendait ?
VLADIMIR.— Ce serait un moyen de bander. »

La double question sur l'attente mène à une impasse. La solution préconisée par Estragon n'en apparaît que plus radicale, le suicide se présentant comme un choix ultime, engendrant naturellement un silence irréversible. La proposition est acceptée par Vladimir, mais d'un point de vue « optimiste » qui provoque immédiatement la relance de l'intérêt. Toute nouvelle action proposée demande à être examinée sous tous ses aspects. Celle-ci n'échappe pas à la règle.

Les risques de panne sont plus nombreux et plus graves dans le second acte où les personnages commentent directement leurs difficultés. « Ceci devient vraiment insignifiant », dit Vladimir alors

qu'ils essaient une nouvelle fois de montrer de l'intérêt pour la
nourriture et d'exprimer des préférences entre les radis roses et les
radis noirs. « Pas encore assez », rétorque Estragon comme s'il voulait s'enfoncer dans un silence que l'indication scénique confirme
aussitôt. Quand la conversation ne repart pas, ils changent de sujet
en s'exposant au risque d'un nouvel échec :

> « 1. VLADIMIR. — Si tu les essayais ?
>
> 2. ESTRAGON. — J'ai tout essayé.
>
> 3. VLADIMIR. — Je veux dire les chaussures.
>
> 4. ESTRAGON. — Tu crois ?
>
> 5. VLADIMIR. — Ça fera passer le temps. (*Estragon hésite.*) Je t'assu-
> re, ce sera une diversion.
>
> 6. ESTRAGON. — Un délassement.
>
> 7. VLADIMIR. — Une distraction.
>
> 8. ESTRAGON. — Un délassement.
>
> 9. VLADIMIR. — Essaie.
>
> 10. ESTRAGON. — Tu m'aideras ?
>
> 11. VLADIMIR. — Bien sûr.
>
> 12. ESTRAGON. — On ne se débrouille pas trop mal, hein, Didi,
> tous les deux ensemble ? »

Plus l'enlisement est profond, plus le rapport entre la parole et
l'action devient complexe. Ayant abandonné le sujet de la nourriture, ils en reviennent aux chaussures (1), dont l'essayage est précédé
d'un échange verbal besogneux comme s'il s'agissait d'une décision
de la plus haute importance. Toute activité est précédée de commentaires sinueux afin d'en prévoir les pièges et l'échec virtuel. Ici,
la proposition de l'essayage de la chaussure est suivie d'une méprise
autour de la nature de ce qui reste à « essayer »(2-3), d'une question
sans utilité (4) et de précisions de vocabulaire sur le mode répétitif
à propos de la nature de ce qu'ils tentent (5 à 8), accompagné d'un
improbable jeu de mots (délasser et délacer). Avant d'agir, ils se
regardent donc s'y préparer et commentent le risque de panne.
L'injonction de Vladimir qui invite à l'action (9) est suivie d'une
nouvelle question et finalement d'un commentaire plus long qui
porte moins sur leur situation que sur leur habileté à produire
encore et toujours du dialogue en frôlant le risque de panne totale.
Celui-ci est présent et toujours désigné pour le lecteur ou le spectateur. Évidemment, plus ils parlent, plus ils retardent le passage à
l'acte et plus ils éloignent le risque d'échec. Cependant, moins ils

agissent, plus ils se perdent dans les méandres du dialogue et, raffinant toujours sur les détails, ils s'exposent à un autre échec, celui de la parole qui pourrait définitivement se tarir.

Dans ces conditions, l'arrivée de Pozzo et Lucky est toujours accueillie comme une solution qui relancera la machine à produire du texte et qui éloignera le danger du vide. « Nous commencions à flancher, voilà notre fin de soirée assurée », déclare Vladimir quand Pozzo appelle au secours. Faute de leur présence réelle, et toujours pour éviter la panne, ils avaient mis en scène leur propre parole dans des rôles d'emprunt. Cette fois ils volent littéralement le dialogue des autres personnages :

> « ESTRAGON. — Qu'est-ce que je dois faire ?
> VLADIMIR. — Engueule-moi !
> ESTRAGON. — Salaud !
> VLADIMIR. — Plus fort !
> ESTRAGON. — Fumier ! Crapule ! »

C'est une autre façon de marquer la panne, puisque, privés de tout discours propre, ils ne peuvent continuer qu'en usurpant des identités et en produisant une fausse action et de faux sentiments, comme s'ils étaient eux-mêmes incapables d'exprimer une colère réelle.

Avant d'en arriver là, ils utilisent un expédient courant qui structure tout le dialogue, le jeu des questions et des réponses.

Le jeu des questions et des réponses

Dans une conversation, la présence d'une question dénote banalement l'intérêt du locuteur pour ce qui est dit ; il provoque alors une relance du dialogue grâce à la réponse du partenaire, du moins quand celle-ci survient. Dans des échanges plus complexes, les questions successives obéissent parfois à de véritables stratégies qui prennent la forme d'un interrogatoire révélant le pouvoir de celui qui se sent autorisé à questionner. Il existe aussi tout un répertoire de « fausses questions », notamment quand les réponses sont connues à l'avance. C'est un des usages les plus fréquents de la question dans *En attendant Godot* ; elle a le mérite de provoquer une relance immédiate par la réponse et un jeu d'énoncés en paires successives. La plus évidente est l'habituel « Pourquoi ? » lancé par Estragon qui « oublie » régulièrement qu'ils attendent Godot ou qui éprouve le besoin de se le faire confirmer chaque fois qu'il éprouve le désir de s'en aller. Cet échange présente des variantes, dont voici un exemple :

> « VLADIMIR.— J'ai cru que c'était lui.
> ESTRAGON. — Qui ?
> VLADIMIR.— Godot. »

Estragon occupe le plus souvent la fonction de questionneur. Il renouvelle d'autant plus facilement son stock de questions que ses pannes de mémoire le rendent vierge de toute référence antérieure. Ses questions portent donc sur tout et sur rien, sans qu'elles soient forcément nécessaires. Il arrive même que l'essentiel du dialogue soit construit à partir de questions :

> « VLADIMIR. — Peut-être qu'il a encore des os pour toi.
> ESTRAGON. — Des os ?
> VLADIMIR. — De poulet. Tu ne te rappelles pas ?
> ESTRAGON. — C'était lui ?
> VLADIMIR. — Oui.
> ESTRAGON. — Demande-lui.
> VLADIMIR. — Si on l'aidait d'abord ?
> ESTRAGON. — À quoi faire ?
> VLADIMIR. — À se relever.
> ESTRAGON. — Il ne peut se relever ? »

Toutes les questions d'Estragon sont ici sans utilité immédiate et, comme Vladimir procède de même, l'échange participe d'une incertitude générale.

Mais les questions ne servent pas qu'à la relance de la conversation. Elles sont aussi l'expression d'une sorte de doute permanent qui est le signe de leur rapport au monde. Pour Estragon, ce doute s'exprime plutôt sur les petites choses ; Vladimir n'y échappe pas, mais ses questions portent davantage sur la nécessité d'une action ou se placent sur un plan « philosophique ». Puisque les grandes questions (ou les questions métaphysiques), les fausses questions et les petites questions strictement informatives sont ainsi mêlées, les

sujets essentiels et les sujets dérisoires deviennent comme interchangeables :

> « ESTRAGON. — Tu crois que Dieu me voit ?
> VLADIMIR. — Il faut fermer les yeux
> *Estragon ferme les yeux, titube plus fort.*
> ESTRAGON (*s'arrêtant, brandissant les poings, à tue-tête*). — Dieu aie
> pitié de moi !
> VLADIMIR (*vexé*). — Et moi ? »

Vladimir, qui est le plus souvent celui qui « sait », succombe
aussi parfois à la tentation de la question, même quand elle ne
s'adresse à personne en particulier ou qu'il se parle à lui-même
(« Que faire pour fêter cette réunion ? »). Il n'échappe pas aux
« fausses questions » ou aux questions inutiles quand il fait montre
de pédagogie ou de mansuétude (« Tu as mal ? »).

Peu de dialogues antérieurs à *Godot* font un usage aussi massif de
l'interrogation. Ce ressort ordinaire de la conversation, expression
d'un vrai intérêt ou de l'intérêt poli dans le jeu social, ou d'une
demande d'information, devient une panacée pour des personnages
acculés au silence. Dans l'usage qu'en fait Beckett, la question
prend plus d'importance que la réponse, soit parce que celle-ci est
connue à l'avance, soit parce qu'elle ne règle rien par rapport à
l'incertitude perpétuelle des personnages dans leur rapport au
monde. Les réponses, comme le disait Beckett à propos des questions que se posent les exégètes sur son œuvre, ne sont jamais que
des « peut-être ».

La coopération forcée

Selon le « principe de coopération », les énonciateurs manifestent de l'intérêt pour ce qui se dit et prennent leur part dans la
relance, en fournissant des sujets nouveaux ou en alimentant ceux
qui ont été proposés. Dans *Godot* nous assistons périodiquement à
une frénésie de parole, à une surenchère verbale, comme si, quand
enfin les personnages tenaient un sujet, ils voulaient en faire le
meilleur usage possible, quitte à l'user jusqu'à la corde et à exhiber
avec trop d'évidence leur bonne volonté, comme un écrivain qui
tire à la ligne une fois qu'il est « lancé » dans un paragraphe.

Ces moments produisent un changement de rythme dans le dialogue chaque fois que le texte quitte le régime de la parole rare et de la difficulté à dire pour adopter celui de la saturation à coups de répliques successives et comme précipitées. Tout se passe comme s'il ne fallait à aucun moment mettre en danger la machine verbale qui semble enfin avoir atteint un rendement optimal :

« ESTRAGON. — Et qu'a-t-il répondu ?
VLADIMIR.— Qu'il verrait.
ESTRAGON.— Qu'il ne pouvait rien promettre.
VLADIMIR. — Qu'il lui fallait réfléchir.
ESTRAGON.— À tête reposée.
VLADIMIR. — Consulter sa famille.
ESTRAGON. — Ses amis.
VLADIMIR.— Ses agents.
ESTRAGON.— Ses correspondants.
VLADIMIR.— Ses registres.
ESTRAGON.— Son compte en banque.
VLADIMIR. — Avant de se prononcer.
ESTRAGON.— C'est normal.
VLADIMIR. — N'est-ce pas ?
ESTRAGON.— Il me semble.
VLADIMIR. — À moi aussi.
Repos »

La mécanique est ici aisément repérable. La relance se fait moins à travers le contenu des énoncés qu'à travers des éléments syntaxiques ou phonétiques communs et répétés (la série de « qu'il » et la série de « ses »). Il se produit alors un véritable étirement du dialogue, cette coopération forcée consistant à aligner des répliques selon une structure identique, le lexique n'ayant plus guère d'importance. C'est Vladimir qui joue le chef d'orchestre en proposant à deux reprises une nouvelle structure, Estragon se contentant d'embrayer en suivant l'énoncé qui lui est proposé. Après ce « sprint » verbal, Beckett leur octroie (ou s'accorde) un repos bien mérité, et la séquence apparaît comme un véritable moment de « travail » pour préserver le dialogue dont le contenu informatif demeure pourtant toujours aussi mince.

À d'autres moments, le système de coopération sous forme d'étirement se reproduit, comme s'ils obéissaient aux mêmes règles.

C'est le cas, par exemple, du long examen de Lucky où Didi et Gogo procèdent par l'accumulation de remarques ; en voici un extrait :

> « ESTRAGON.— Il bave.
> VLADIMIR.— C'est forcé.
> ESTRAGON.— Il écume.
> VLADIMIR. — C'est peut-être un idiot.
> ESTRAGON.— Un crétin.
> VLADIMIR (*avançant la tête*).— On dirait un goitre.
> ESTRAGON (*même jeu*).— Ce n'est pas sûr.»

Cette fois, la mécanique s'applique à l'examen d'un homme et l'effet est différent. Dans le premier exemple, il ne s'agissait que de déployer du texte à propos d'un sujet absent. Face à un être humain vivant sous leurs yeux, l'effet de commentaire est plus troublant parce que la parole continue à exister, comme si elle était plus importante que tout ce qui pouvait arriver à Lucky. On verra, dans l'étude des personnages, comment s'instaurent des tensions et un fragile équilibre entre de brefs moments d'émotion et le maintien de la mécanique verbale. La parole donne à entendre les souffrances de Lucky sans que l'on puisse décider vraiment du point de vue de Vladimir et d'Estragon sur celles-ci. Il est clair en tout cas que cette description ne les entraîne pas à l'action.

La poétique d'*En attendant Godot*

Le nouveau théâtre des années cinquante s'attaque généralement au langage, dont il souligne l'usure ou le manque à dire. Beckett occupe une place particulière dans ce contexte. Son écriture contribue à la déconstruction du langage, par exemple en parodiant des énoncés vides ou prétentieux. Pourtant, le texte emprunte des effets rhétoriques et des bribes de citations, les organise par des jeux de répétition et d'échos qui favorisent les assonances et créent les conditions d'une beauté formelle particulière. *Godot* est déjà menacé par le silence qui envahira peu à peu l'univers beckettien ; il prend de la distance par rapport au délire verbal et aux bavardages intarissables qui font, par exemple, les beaux jours de l'écriture de Ionesco.

Lieux communs

Estragon déforme un proverbe quand il déclare : « On ferait bien de battre le fer avant qu'il soit glacé ». Il est aussi tenté de raconter « l'histoire de l'Anglais au bordel », celle où « la sous-maîtresse lui demande s'il désire une blonde, une brune ou une rousse », reprenant une anecdote apparemment si rebattue que Vladimir refuse violemment de l'entendre.

Les duettistes déforment joyeusement le nom de Pozzo en le déclinant sous différentes formes après qu'ils l'aient pris pour Godot. Pozzo leur rendra la politesse en déformant Godot en Godin et Godet. Mais Beckett déforme moins la littérarité de la langue qu'il n'éclaire son usage sous forme de poncifs et de formules toutes faites.

Pozzo apparaît comme le champion du lieu commun quand il se met en frais de conversation. Il parle du temps, de la saison et surtout de lui, dans un mélange de politesse un peu surannée, surtout dans ce contexte, et de propositions de sujets de conversation vides de toute réelle nouveauté :

> « Je vais vous quitter. Merci de m'avoir tenu compagnie. *(Il réfléchit.)* A moins que je ne fume encore une pipe avec vous. Qu'en dites-vous ? *(Ils n'en disent rien.)* Oh, je ne suis qu'un petit fumeur, un tout petit fumeur, il n'est pas dans mes habitudes de fumer deux pipes coup sur coup, ça *(il porte sa main au cœur)* fait battre mon cœur. *(Un temps.)* C'est la nicotine, on en absorbe malgré ses précautions. *(Il soupire.)* Que voulez-vous.*(Silence.)* »

Aucune de ses ouvertures sur des sujets de conversation possibles n'est suivie d'effet, en partie parce que son discours n'est centré que sur lui-même, en partie parce que ses partenaires sont davantage préoccupés par les os du poulet à ronger. Son discours se situe hors du contexte réel et de l'action en train de se dérouler, il traîne derrière lui son stock de lieux communs venus d'ailleurs comme Lucky lui transporte son pliant, sans jamais prendre conscience de ce qui l'entoure.

C'est également à travers Pozzo que Beckett laisse filtrer son ironie pour les rituels de politesse interminables qui règlent son comportement. La langue de la bonne société à laquelle il se réfère n'est pas plus une garantie de la solidité et de la vérité des rapports humains que ne le sont les échanges maladroits ou brutaux des autres personnages.

Rhétorique et effets de discours

Beckett parodie les monologues lyriques ou explicatifs de l'écriture dramatique traditionnelle. Il lance parfois ses personnages dans l'outrance verbale ou dans une exhibition de « beau langage » à dominante littéraire ou poétique.

Vladimir est le premier à se laisser tenter par les effets rhétoriques ; c'est sur ce mode qu'il commence la pièce, comme pour lui imprimer d'emblée noblesse et hauteur de vue :

> « J'ai longtemps résisté à cette pensée, en me disant, Vladimir, sois raisonnable, tu n'as pas encore tout essayé. Et je reprenais le combat. »

Mais ses essais emphatiques ne tiennent jamais longtemps, même s'il y revient parfois notamment parce que son partenaire, préoccupé par sa chaussure, n'est pas à la hauteur.

Il est plus sérieusement relayé par Pozzo, dont la plupart des interventions verbales sont préparées à l'avance et entourées des rituels de celui qui s'écoute parler, qui prend soin de son organe vocal en se vaporisant la gorge et qui n'accorde d'importance à ses partenaires qu'en tant qu'auditeurs qu'il rappelle à l'ordre. Une bonne tirade théâtrale se prépare, se négocie, se distille et réclame une attention passionnée. « Je n'aime pas parler dans le vide » dit-il en bon cabotin, ou : « Mais soyez donc un peu plus attentifs, sinon nous n'arriverons jamais à rien » . Le beau parleur exhibe ses trucs, soulignant ainsi la convention théâtrale qui fige pour un temps les personnages condamnés à écouter la tirade du premier rôle :

> « [...] Qu'est-ce qu'il a de si extraordinaire ? En tant que ciel ? Il est pâle et lumineux, comme n'importe quel ciel à cette heure de la journée. *(Un temps.)* Dans ces latitudes. *(Un temps.)* Quand il fait beau. *(Sa voix se fait chantante.)* Il y a une heure *(il regarde sa montre, ton prosaïque)* environ *(ton à nouveau lyrique)* après nous avoir versé depuis *(il hésite, le ton baisse)* mettons dix heures du matin *(le ton s'élève)* sans faiblir des torrents de lumière rouge et

blanche, il s'est mis à perdre de son éclat, à pâlir (*geste des deux mains qui descendent par paliers*), à pâlir, toujours un peu plus, un peu plus, jusqu'à ce que (*pause dramatique, large geste horizontal des deux mains qui s'écartent*) vlan ! fini ! il ne bouge plus ! (*Silence*) [...]. »

Beckett parodie les tics d'acteurs rompus aux effets rhétoriques, comme le confirment les intentions scéniques, et il s'en prend aussi à l'écriture proprement dite. Les informations données sont sans utilité, le texte étire ses lieux communs ironiquement « poétiques » comme pour obéir uniquement à des règles de beau langage et de point de vue élevé. La parole du dramaturge et celle de l'acteur qui la transmet sont comiquement dénoncées, dans une telle tirade, comme un ensemble de trucs et de tics qui, en définitive, ne disent strictement rien ou qui ne font que constater le passage du temps. Beckett déploie un attirail rhétorico-poétique pour souligner à nouveau l'inanité du langage qui ne sert, dans ce cas, qu'à faire briller à peu de frais un acteur de second ordre.

Le discours de Lucky apparaît, dans ce contexte, comme le miroir déformant des interventions de Pozzo, et comme une autre forme de délitement du langage, plus grave parce que cette fois il est saisi par la déconstruction et l'incohérence.

Contrairement à Pozzo, Lucky ne parle pas sur son initiative et il ne prononce pas d'autre texte que son long discours de la fin du premier acte. Par la suite, il devient muet. Ce sont les autres qui le font « penser », et non « parler », bien que les deux activités se confondent ici et que Lucky fasse une nouvelle confusion en se mettant à danser quand Pozzo lui demande de penser. Sa prise de parole est précédée d'une sorte de « mise au point » et de réglages qu'on pourrait qualifier de techniques ; Vladimir lui place avec précautions son chapeau sur la tête, comme s'il était dangereux et parce qu'« il ne peut penser sans chapeau », comme le dit Pozzo.

Le langage de Lucky semble ne pas lui appartenir en propre ; il ne pense que « chapeauté » et dans un état qui s'apparente à la transe, comme une pythie ou une voyante (il fait référence à « la divine Miranda » dans son discours, nom fréquemment porté par les mediums). Il s'agit donc d'un langage d'emprunt, dont il n'est pas maître, qui le traverse plus qu'il ne l'articule en tant que sujet. Des répétitions, des interférences, des dérapages et des sortes de « parasites » au sens de la radio (« quaquaquaqua ») perturbent le discours. Plusieurs citations et références reviennent, sous forme de noms propres empruntés ou fantaisistes, comme si cette pensée ne pouvait se déployer qu'en s'appuyant sur des pensées antérieures :

« [...] à la suite des recherches inachevées mais néanmoins couronnées par l'Acacacacadémie d'Anthropopopométrie de Berne-en-Bresse de Testu et Conard il est établi sans autre possibilité d'erreur que celle afférente aux calculs humains qu'à la suite des recherches inachevées de Testu et Conard il est établi tabli tabli ce qui suit qui suit assavoir mais n'anticipons pas on ne sait pourquoi à la suite des travaux de Poinçon et Wattmann il apparaît aussi clairement si clairement qu'en vue des labeurs de Fartov et Belcher inachevés inachevés on ne sait pourquoi de Testu et Conard que l'homme enfin bref que l'homme en bref [...] »

Beckett fait parler Pozzo en parodiant le monologue littéraire et poétique, il fait parler Lucky en parodiant le discours savant, universitaire ou scientifique. On trouve dans cet extrait quelques-unes de ses caractéristiques, clairement soulignées ; en premier lieu, les habitudes rhétoriques (« il est établi ce qui suit »), l'allusion à des chercheurs, toujours par couples (Testu est un fabricant connu de balances, donc d'instruments de mesure, Wattmann est un nom commun désignant le conducteur de tramways, mais Watt est un personnage beckettien et « Whatman » serait en anglais littéralement l'homme du quoi, celui qui questionne). Les références lexicales nobles à l'Académie et à l'Anthropométrie s'étirent en « caca » et en « popo », renvoyant, s'il en était besoin, ce discours aux cabinets. Les reprises font parler Lucky comme un vieux disque rayé s'obstinant à produire, au milieu de tous ces ratages et de ces interférences, un discours pseudo-scientifique portant, malgré tout, sur l'homme.

Sur les ruines de textes anciens

Paradoxalement, même quand la déconstruction et la parodie ont fait leur œuvre, l'écriture de Beckett ne se réduit jamais à une caricature mécanique du langage. Si Lucky est traversé par des souvenirs culturels dérisoires, son discours demeure empreint d'une beauté étrange. Les répétitions, les assonances et les plaisanteries dont il est truffé élaborent un texte qui parle encore. Comme si les lambeaux qui le construisent étaient le témoignage d'une mémoire, certes défaillante, mais qui s'obstine à vouloir produire du langage et du sens sur les ruines d'un savoir ancien. Beaucoup de discours tenus par les personnages, même s'ils s'appuient sur des emprunts ou des citations, ne relèvent pas seulement de la banalité ou de la simple parodie. Ils sont très écrits et ils participent de la poétique d'*En attendant Godot*. Il est difficile de décider, par exemple, si les citations littéraires que l'on relève dans le texte accentuent l'écart dérisoire qui se creuse entre les personnages et leur langage, ou si elles contribuent à produire une sorte de grandeur dans la théâtralité de leur parole.

Eleutheria était tissée d'emprunts à de nombreuses œuvres littéraires. *Fin de partie* emprunte également des citations et des références à des écrits philosophiques et religieux. On rencontre dans *Godot* des allusions à l'Ancien et au Nouveau Testament, et des emprunts à Shakespeare :

> VLADIMIR — « Est-ce que j'ai dormi pendant que les autres souffraient ? Est-ce que je dors en ce moment ? Demain, quand je croirai me réveiller, que dirai-je de cette journée ? Qu'avec Estragon mon ami, à cet endroit, jusqu'à la tombée de la nuit, j'ai attendu Godot ? Que Pozzo est passé, avec son porteur, et qu'il nous a parlé ? Sans doute. Mais dans tout cela qu'y aura-t-il de vrai ? »

Il est difficile de mesurer l'effet très ambigu de ce type de réplique qui greffe le souvenir shakespearien sur l'attente obsessionnelle. L'intertextualité produit un curieux effet de sens en introduisant le thème du rêve éveillé, dont on ne sait plus s'il s'agit d'un nouvel expédient utilisé par le personnage, d'une réminiscence sincère liée à sa situation, ou d'une nouvelle fausse piste placée par Beckett à l'intention du spectateur cultivé.

Dans le même sens « poétique », les répliques qui s'enchaînent de manière inéluctable, ou avec des modifications à peine perceptibles, font entendre au fil des pages une curieuse musique répétitive. Beckett utilise un lexique réduit, moins de mille mots, si bien que leur retour régulier ou, au contraire, le surgissement d'un mot unique, participent aussi de cette musicalité. Les reprises, les variations et les assonances font que les mots se détachent d'autant plus nettement sur le silence :

> « VLADIMIR. — D'où viennent tous ces cadavres ?
> ESTRAGON. — Ces ossements.
> VLADIMIR. — Voilà.
> ESTRAGON. — Évidemment.
> VLADIMIR. — On a dû penser un peu.
> ESTRAGON. — Tout à fait au commencement.
> VLADIMIR.— Un charnier, un charnier.
> ESTRAGON. — Il n'y a qu'à ne pas regarder.
> VLADIMIR. — Ça tire l'œil.
> ESTRAGON. — C'est vrai.
> VLADIMIR.— Malgré qu'on en ait.
> ESTRAGON. —Comment ?
> VLADIMIR.— Malgré qu'on en ait.
> ESTRAGON— Il faudrait se tourner résolument vers la nature.
> VLADIMIR.— Nous avons essayé.
> ESTRAGON. —C'est vrai. »

Ces répliques sont un bon exemple de la construction phonétique du texte. Une première série réunit ossements/ évidemment/ commencement, repris plus tard par comment/ résolument ; une autre, charnier/ regarder/ et /vrai/ ait/ faudrait/vrai complété par malgré/ essayé. La conversation est sérieuse, le thème des charniers de l'après-guerre est introduit et du sens se construit autour de l'horreur « qui tire l'œil ». Mais ce sujet a été introduit artificiellement et de manière volontariste (« C'est ça, posons-nous des questions », a dit Estragon). En outre, les méandres du dialogue épousent en même temps une sorte de logique mi-phonétique, mi-rythmique, qui semble faire reposer l'enchaînement sur une nécessité musicale, sans rapport aucun avec le contenu des énoncés. On dirait ici que les répliques se succèdent en fonction du seul jeu des signifiants et des résonances sonores qui s'établissent d'une intervention à l'autre.

On peut difficilement en conclure que la construction rythmique annule le sens de cet échange, pas davantage qu'elle y contribue. Les deux aspects du dialogue, la théâtralité inhérente au langage et les images macabres qu'il charrie, se combinent et donnent au texte son étrange densité. Il ne tourne pas à vide car le formalisme ne l'emporte jamais. Mais le « message » qu'on pourrait y chercher est brouillé et fragilisé par les choix formels apparents qui semblent dictés par l'arbitraire des associations sonores.

Dans la plus grande partie d'*En attendant Godot*, la parole n'est produite qu'avec difficulté et en s'appuyant sur tous les expédients connus du dialogue. Quand tout à coup elle se déploie avec abondance et avec une sorte de facilité suspecte, elle emprunte ses formes aux lieux communs du discours littéraire ou du discours scientifique, prononcés par un cabotin et par une sorte de perroquet mécanisé à outrance et victime d'un sadique.

La parole échappe aux personnages qui ne sont porteurs d'aucun discours propre et qui apparaissent plutôt comme des victimes de textes d'emprunt. Mais comme ce sont des personnages de théâtre, ils sont condamnés à parler pour aller au bout de la représentation. Beckett entame ainsi un difficile travail de déconstruction. Il utilise les ressources dont le théâtre dispose mais en en montrant l'envers et les limites.

Pourtant, cet usage de la parodie n'a pas pour objet une opération pure de destruction ou de comique ravageur, et c'est une des différences majeures qui existe entre Beckett et le Ionesco des années cinquante. Les personnages dépossédés de la parole volent en éclats en tant que consciences capables de pensée et de psychologie. Mais cette perte d'un langage propre s'accompagne d'une sorte de rétablissement d'un texte qui se reconstruit à partir des lambeaux d'une culture et d'une mémoire ancienne qui n'en finissent pas de resurgir.

Quand ces discours sont dérisoires et ne disent plus rien, quand le dialogue ne charrie plus que des lieux communs, il reste la tentation du silence. Les personnages parlent encore beaucoup dans cette pièce, mais c'est leur chant du cygne. Les personnages beckettiens qui suivent auront un rapport encore plus douloureux avec le langage et, une fois constatée l'inanité de la parole, ils s'enfonceront progressivement dans le silence, ne survivant que par quelques sursauts d'activité et quelques bribes de parole articulée, ce qui n'est pas le moindre paradoxe de ce théâtre.

III. Les personnages

Cartes d'identité

Noms

Les personnages de théâtre ont traditionnellement un nom, et même une identité complète dans le cas du théâtre réaliste, au moins un nom qui les désigne comme héros dans la tragédie, ou qui les dénonce et les ridiculise parfois dans la comédie. Dans tous les cas, ils sont présentés par le dramaturge, dès lors qu'il choisit de les nommer, comme des personnages identifiables ; c'est avec leur identité que commence leur fonction dans le récit et qu'il est possible de les situer dans un cadre référentiel. Or, les noms choisis ici par Beckett font sortir les personnages du cadre réaliste ; nous ne disposons pas d'un référent évident qui les situerait « dans la vie ».

Tous quatre sont porteurs de noms aux sonorités plus ou moins étrangères. Vladimir et Estragon (qu'on pourrait prononcer à l'espagnole en accentuant la finale !) ont des surnoms ou des diminutifs (Didi et Gogo) ainsi que des pseudonymes (Albert et Catulle) utilisés à l'adresse de Pozzo et par le garçon venant de la part de Godot (« Monsieur Albert ? »).Le premier nom des personnages n'est donc utilisé que par Beckett, dans les didascalies, et un spectateur qui ignore le texte ignore aussi le vrai nom des personnages, et même s'ils ont un « vrai » nom. Leur identité est comme incertaine, ou bien elle est dissimulée comme s'ils voulaient échapper à quelque recherche ou à un danger. Didi et Gogo sont des diminutifs familiers et puérils, qui sonnent, une fois couplés, comme des noms de clowns travaillant en duettistes.

Le nom de Pozzo a une consonance vaguement italienne ; il pourrait également appartenir à l'univers du cirque. Il rime avec Godot, ce qui explique en partie la méprise d'Estragon. Il est déformé en Bozzo et Gozzo (on pourrait en imaginer bien d'autres), comme s'il avait, lui aussi, plusieurs identités. La déformation d'un nom propre est toujours ressentie socialement comme un acte désagréable ou un peu injurieux. Quant à Lucky, son nom ressemble plutôt à un surnom – lourdement ironique par rapport à son apparence physique et à sa fonction de souffre-douleur – qu'à une véritable identité.

Dans un tel contexte, le nom de Godot, déjà identifié comme une allusion à l'anglais « *god* » (Dieu), sonne phonétiquement comme un nom très français (Godeau, par exemple, qui est d'ailleurs le nom d'un personnage de Balzac), presque anormalement français par opposition aux autres. Pozzo, comme pour une revanche, le déforme en « Godet » et « Godin », ce qui le francise encore. Quant au messager, il n'a pas d'autre identité que celle d'un « garçon ».

Ces noms classent plutôt les personnages dans l'univers du spectacle, ce sont « des noms de théâtre » qui ne leur accordent pas franchement d'existence en dehors de la scène et qui les limitent à des identités incertaines ou hésitantes, comme s'ils étaient « d'ailleurs » ou de nulle part.

Identité sociale

Du point de vue social, Vladimir et Estragon sont généralement qualifiés de vagabonds ou de clochards, bien que le texte ne les désigne pas précisément comme tels. Mais leur absence de domicile fixe (ils couchent là où ils peuvent et plutôt, semble-t-il, dans des fossés), leur apparence vestimentaire et leur errance confirment qu'ils vivent dans une sorte de marginalité, en dehors de la société organisée. Estragon réclame les reliefs de la collation de Pozzo, bien que Vladimir précise qu'ils ne sont pas des « mendiants ». C'est d'ailleurs cet état particulier qui les rend particulièrement « vacants » et par là disponibles pour l'attente.

Sans qu'ils aient d'âge précis, ils sont âgés. Ils ont un passé qu'ils regrettent et qui laisse imaginer une sorte de déchéance. Leur avenir semble uniquement lié à l'arrivée de Godot, qui leur apporterait un semblant de sécurité matérielle dont on ne sait pas si elle dépend d'un emploi ou de la seule bonté de celui qui leur aurait donné rendez-vous.

Pozzo se présente comme propriétaire des lieux (« sur mes terres ») et il fait montre d'une certaine aisance. Il s'arrête pour faire une collation ; il a au moins une montre, une pipe, des bagages, et il dispose d'un porteur. La fonction d'« homme de peine » n'a pas toujours été le rôle de Lucky, qui, aux dires de Pozzo, cherche par là à échapper à la vente qui l'attend au marché de Saint-Sauveur. C'est lui qui, en soixante ans, aurait tout appris à Pozzo, dans sa fonction de « knouk », de « bouffon » que s'offrent « ceux qui peuvent se le permettre ». Dans cet ancien métier, Lucky savait tout faire, notamment danser et penser.

Lucky, comme Vladimir et Estragon, connaît donc la déchéance sociale. Il n'est plus knouk, il est porteur par intérim, en attendant d'être vendu, faute de pouvoir être tué comme le souhaite Pozzo. Une déchéance d'un autre ordre attend Pozzo au second acte, puisqu'il devient aveugle et dépendant des autres. Tous quatre ont donc connu un état supérieur à leur état présent, mais seul Pozzo subit les affres de la chute pendant la représentation. Pour les autres, nous devons faire la part de la nostalgie et celle du sentiment, lié au passage du temps, que tout était mieux autrefois.

Tous quatre ont également en commun la déchéance physique. Estragon a du mal à marcher, il s'endort sur place, fait des cauchemars et souffre de troubles de la mémoire. Vladimir arrête brutalement le dialogue pour aller uriner avec difficulté sous l'œil inquisiteur d'Estragon. Lucky, que Pozzo décrit comme le plus déchu de tous, perd l'usage de la parole dans le second acte. Pozzo devient aveugle, « cela lui a pris tout d'un coup ».

Socialement, leur quatuor est organisé selon une hiérarchie des pouvoirs où Pozzo s'affirme le maître et Lucky le valet ; Vladimir et Estragon, témoins intéressés, occupent à leur tour des postures de soumission l'un par rapport à l'autre et tous deux par rapport à Pozzo. Ils jouent à un moment à être Pozzo et Lucky, en échangeant de violentes injures. Ils profitent largement de leur supériorité par rapport à Lucky, avec l'autorisation de Pozzo mais non sans risques de rebuffades du maître comme du valet. Ce microcosme social est plus instable qu'il n'en a l'air et les différences y sont nivelées par la déchéance physique générale. Aucun d'eux ne détient longtemps, en définitive, les clefs de l'autorité.

Tous quatre, à des degrés divers, disposent d'une culture qui contraste avec ce qu'on pourrait attendre de leur état. Ils se réfèrent aux Évangiles et à la Bible ; Lucky truffe son discours de fragments de références intellectuelles. Leur niveau de langage, leur propension à la discussion, le goût du discours poétique chez Pozzo, même s'il est parodique, en font des personnages qui s'efforcent de penser avec ce qui leur reste de mémoire et d'énergie. La plupart du temps, ne surnagent que des bribes de souvenirs, des lambeaux de citations, l'irruption saugrenue d'un nom propre (Catulle, Atlas, Jupiter) dans une conversation banale. C'est aussi ce langage très particulier, déjà étudié, qui les constitue comme personnages de théâtre.

Place dans l'action

L'évolution de la condition de ces personnages ne dépend pas vraiment de l'action théâtrale. La plupart de leurs handicaps sont donnés d'emblée. Ils ont déjà souffert, ils souffrent davantage sans que la cause de ces souffrances soit fournie dans le déroulement de l'action. Ils sont déjà vieux quand la pièce commence, ou presque sans âge. Pozzo tranchait sur le lot en affichant sa différence par rapport à Lucky et aux deux « êtres humains de la même espèce » qu'il avait rencontrés. L'aisance, le bien-être et la bonne santé dont il se targuait au premier acte font long feu. À sa seconde apparition, plongé dans l'obscurité, il rampe et pète en appelant au secours. Il a été frappé de cécité dans la coulisse, et il nomme lui-même le « destin » comme à l'origine de son mal. Si l'on a parlé d'anti-héros à leur propos, c'est qu'ils n'accomplissent rien et que même leurs souffrances ne leur rapportent aucun des dividendes ordinaires du sacrifice. Ils subissent la douleur sans égale « d'être là » sans qu'elle soit la conséquence d'une erreur ou d'une faute, ils n'ont donc pas droit à l'héroïsme.

La carte d'identité se complète d'ordinaire par la somme d'actions que les personnages accomplissent ou par les désirs et les intentions qu'ils manifestent. Dans *Godot*, face à l'attente qui est le désir essentiel du premier duo, les intentions de Pozzo paraissent bien anecdotiques et comme ironiquement rapportées d'une autre dramaturgie, celle qui se fonde sur une intrigue. Le voyage au marché où il s'agit de se débarrasser de Lucky n'est ni commenté, ni suivi d'effets. Les deux trajets modifient le statut de Pozzo en le rendant dépendant de Lucky.

Tous les autres projets qu'ils caressent sont fugitifs. Répondre à la question de ce que « veulent » ces personnages, en dehors du fait d'attendre, revient à s'engager sur des pistes d'interprétation. Veulent-ils passer le temps, mourir, résister ou simplement survivre en maintenant un minimum d'échanges avec le monde extérieur ? Pouvons-nous vraiment parler de « désirs », alors qu'ils subissent la plupart du temps les effets de situations qu'ils ne semblent pas avoir choisies ? Tout au plus de désirs fugitifs, liés au présent vite évanoui de moments passagers. L'exercice de leur volonté se restreint à des activités minimes, jamais à des actions majeures qui contribueraient à les définir.

Faute de situations clairement établies, les personnages se définissent ici par le tissage complexe de leurs relations mouvantes et par les postures successives qu'ils prennent.

Relations

Tout va par deux dans cette pièce en deux actes traversée par l'image des deux larrons dont un seul sera sauvé. Même le garçon envoyé par Godot déclare qu'il a un double, en l'occurrence un frère. Les personnages sont répartis à l'intérieur d'un système qui les rapproche et les oppose tour à tour en figures duelles et symétriques. Au premier plan, le duo Pozzo-Lucky se développe en fonction des relations connues du maître et du valet, du dominant et du dominé, du nanti et du misérable. Le duo Vladimir-Estragon obéit également à des relations de pouvoir, mais celles-ci sont moins affichées. Une corde réunit physiquement le premier duo, des liens plus subtils tissent le second. Les équilibres instaurés à l'intérieur de ces couples, de ces partenaires littéralement « attachés » l'un à l'autre, subissent des modifications internes en fonction des pulsions qui agitent les personnages. Leur permanence est également perturbée par les rencontres qu'ils font. Au second plan se dessinent alors, au moins provisoirement, de nouveaux duos ou des trios provisoires, en fonction des alliances et des oppositions qu'ils manifestent par l'usage de la parole. On ne peut pas parler de « caractères » fondés sur des critères psychologiques récurrents. Nous pouvons cependant repérer chez les personnages, ne serait-ce que sous la forme de brefs éclats, des postures d'agression ou d'accords, des stratégies et des comportements exprimés par la parole et rassemblés sous chacune des identités.

Attachements

Cette première figure est la plus évidente. Vladimir et Estragon nient qu'ils soient « liés » à Godot, mais ils sont liés entre eux par des forces qui les empêchent de s'éloigner bien longtemps l'un de l'autre et qui rendent leurs retrouvailles inéluctables. Leur duo est un état permanent et les menaces qu'ils profèrent en parlant de se quitter soulignent d'autant plus cette permanence.

Ils se quittent cependant pour la nuit, puisque les seuls instants où on les voit seuls en scène correspondent au début de chacun des deux actes. Estragon, occupé par sa chaussure, est seul le temps de la didascalie d'ouverture :

> « VLADIMIR […] — Alors te revoilà, toi ?
> ESTRAGON. — Tu crois ?
> VLADIMIR. — Je suis content de te revoir. Je te croyais parti pour toujours.
> ESTRAGON. — Moi aussi. »

Le baiser que Vladimir propose pour « fêter cette réunion » est refusé par Estragon, tout comme au début du second acte, où cette fois c'est Vladimir qui est seul en scène le temps d'une chanson.

> « VLADIMIR. — Encore toi ! (*Estragon s'arrête mais ne lève pas la tête. Vladimir va vers lui.*) Viens que je t'embrasse !
> ESTRAGON. — Ne me touche pas ! »

Tout se passe comme si leur alliance ne correspondait pas à un choix mais à une sorte de nécessité, puisqu'ils ne manifestent jamais de plaisir à ce duo autrement que sur le mode ironique.

Cette vie d'attachement à un double s'interrompt quand Vladimir sort brièvement pour uriner ou quand Estragon s'endort. Encore est-ce Vladimir qui l'éveille en le sortant de ses cauchemars qu'il refuse d'entendre, comme s'il s'agissait d'une prolongation de la vie qu'ils partagent.

Ils envisagent à plusieurs reprises de partir ou de se quitter :

> « VLADIMIR. — Tu es difficile à vivre, Gogo.
> ESTRAGON. — On ferait mieux de se séparer.
> VLADIMIR. — Tu dis toujours ça. Et chaque fois tu reviens. »

« Tu ne me verras plus », lance même Estragon comme une ultime menace. Il finit par s'en aller quelques instants, et tous deux vivent avec effroi cette séparation. Quand Vladimir voit qu'Estragon n'est plus là il « *pousse un cri déchirant* » et « *se met à arpenter la scène presque en courant* » :

> « VLADIMIR. — Te revoilà enfin !
> ESTRAGON *(haletant)* — Je suis maudit !
> VLADIMIR. — Où as-tu été ? Je t'ai cru parti pour toujours. »

Cet attachement n'est pas exempt de ressentiment, de répulsion et de contradictions :

> « ESTRAGON. — Ne me touche pas ! Ne me demande rien ! Ne me dis rien ! Reste avec moi !
> VLADIMIR. — Est-ce que je t'ai jamais quitté ?
> ESTRAGON. — Tu m'as laissé partir. »

Le duo est ambivalent. Ils ne peuvent se quitter, même quand ils le désirent, et pourtant ils manifestent peu leur attachement en dehors des brèves crises où l'image de la solitude les menace. Ambivalent, il l'est aussi par leur appartenance au monde du théâtre où, créatures soumises au texte d'un écrivain, ils se retrouvent inéluctablement en scène pour poursuivre leur numéro. Mais leur langage s'apparente parfois aussi à celui des amants soumis à la passion. Ils sont un duo avant d'être des personnages, leur indépendance ne pouvant s'analyser que par rapport à la créature à deux têtes et à deux voix qu'ils promènent à travers l'œuvre comme pour échapper à la solitude et à un silence qui s'apparenterait à la mort.

Pozzo et Lucky composent un duo qui s'apparente et s'oppose à ce premier couple. Ils ne se posent pas la question de « l'attachement » : il est rendu théâtralement évident par la corde qui les unit. Celle-ci sert à Pozzo à « tenir » Lucky, comme pour l'empêcher de s'échapper, mais également à maintenir une « distance » raisonnable entre eux, puisque Lucky « pue ». Pozzo est lié à son esclave au sens propre comme au sens figuré, puisqu'il le sert mais aussi parce qu'il lui a tout appris et qu' « il y aura bientôt soixante ans que ça dure » :

> « Sans lui je n'aurais jamais pensé, jamais senti, que des choses basses, ayant trait à mon métier de — peu importe. La beauté, la grâce, la vérité de première classe, je m'en savais incapable. »

Il cherche pourtant à s'en débarrasser. Mais la vente de Lucky n'a pas lieu, et, au contraire, les liens se resserrent entre eux : « *Corde comme au premier acte, mais beaucoup plus courte, pour permettre à Pozzo de suivre plus commodément.* » C'est au moment où les liens vont se rompre qu'ils se resserrent et que l'interdépendance se confirme ironiquement. Pozzo et Lucky semblent condamnés à parcourir le monde ensemble. Ce couple ne s'est pas choisi, pas plus que Lucky n'a choisi sa condition. De mentor, il est devenu esclave et faire-valoir de son maître qui ne pourrait cependant se débarrasser de lui qu'en le tuant, comme il l'envisage, mais cela est interdit.

Le premier duo est construit sur une apparente égalité, le second sur une évidente inégalité. Le résultat est le même car leur attachement est inscrit dans leur existence ; la séparation s'avérant impossible, ils s'organisent en fonction de ce système binaire.

Agressions et jeux de pouvoir

À l'intérieur de ce système, les relations, ordonnées en apparence, subissent des variations selon la capacité et le désir de chacun des personnages de mener le jeu en occupant une posture de domination.

Vladimir l'emporte le plus souvent sur Estragon. C'est lui qui prend le plus d'initiatives, qui philosophe volontiers, qui sert d'aide-mémoire et rappelle régulièrement qu'ils attendent Godot. Lui aussi qui veille sur le sommeil de son partenaire et qui répartit la nourriture. Ainsi pris en charge, Estragon fait pourtant preuve de mouvements d'humeur. Il lui arrive d'agresser Vladimir ; par moments, il s'empare même de la parole avec autorité, par exemple pour expliquer les risques de la « pendaison » en fonction de leur poids respectif. Les manifestations de son contre-pouvoir sont cependant plus claires en présence de tiers.

Pozzo manifeste une autorité évidente et directe, comme si le pouvoir lui était dû de toute éternité. Au premier acte, il s'empare de l'espace, s'installe en claquant du fouet, organise le temps avec précision, règle la parole en fonction des sujets qui lui conviennent, en utilisant à son profit les êtres qu'il a rencontrés, en veillant à ce qu'ils se comportent en auditoire soumis. Il se montre d'ailleurs très sourcilleux sur l'usage de la parole, soulignant par exemple : « Tout à l'heure vous me disiez Monsieur en tremblant, maintenant vous me posez des questions. Ça va mal finir. » Ou encore, à Vladimir : « Ne me coupez pas la parole ! Si nous parlons tous en même temps nous n'en sortirons jamais. » Il en fait presque trop dans l'affirmation d'un pouvoir sans limites ; sa « chute » du second acte est d'autant plus marquante.

Des micro-conflits, moins apparents, créent des alliances nouvelles en organisant des duos différents ou de fugitifs trios. Au premier acte, quand Didi et Gogo contemplent longuement Lucky, Pozzo prend un temps sa défense en lançant : « Foutez- lui la paix ! Vous ne voyez pas qu'il veut se reposer ? » avant d'ordonner à son valet de lui apporter le panier. Le trio qui s'est formé existe en dehors de lui et, ayant fini de manger, il veille à récupérer très vite l'attention générale.

Quand Estragon réclame les os de son repas à Pozzo, il se désolidarise de Vladimir et passe sous l'autorité d'un nouveau maître, celui qui donne à manger ; celui-ci le renvoie à Lucky puisque « les os reviennent en principe au porteur ». Estragon donne alors du « Monsieur » à Lucky et Pozzo reprend tout de suite le pouvoir en questionnant lui-même son serviteur. Estragon mange sans s'occuper de Vladimir. En quelques instants, Estragon semble avoir tout oublié de ses longues relations avec Vladimir et passe sous le pouvoir successif des deux autres en s'installant dans une situation de demande : quand des enjeux tenant à la survie apparaissent, le rituel des relations établies vole en éclats comme si elles n'avaient jamais existé ou comme si le personnage en avait perdu jusqu'au souvenir.

Une autre « trahison » d'Estragon souligne la fragilité des alliances. Il prend le pouvoir sur tous les autres quand il entraîne Pozzo, en le forçant à se déplacer, pour regarder Vladimir occupé à uriner à l'écart. Le secret qu'il détient – l'infirmité « comique » de Vladimir – est une bonne monnaie d'échange qui lui permet de s'installer dans une situation exceptionnelle de pouvoir ; il cherche ainsi à s'attirer les bonnes grâces de Pozzo. Il exhibe Vladimir comme Pozzo exhibe Lucky et par ce moyen il s'installe à ses côtés.

L'attitude de Didi et Gogo envers Lucky varie d'instant en instant. Ils le contemplent avec curiosité, puis se révoltent contre l'attitude scandaleuse de Pozzo. C'est Vladimir qui exprime alors de bons sentiments : « Traiter un homme (geste vers Lucky) de cette façon… je trouve ça… un être humain… non… c'est une honte ! », et Estragon renchérit : « Un scandale. » Mais les indications précisent : « *Ne voulant pas être en reste* » et : « *Il se remet à ronger* », soulignant que son intérêt est limité et convenu. Ces intentions charitables trouvent leur limite un peu plus tard. Puisque Lucky pleure, Estragon « *s'approche de Lucky et se met en posture de lui essuyer les yeux* » et « *Lucky lui décoche un violent coup de pied dans les tibias* ». Après avoir amené la scène jusqu'aux limites du pathétique, Beckett la fait basculer dans l'autre sens par une brève exhibition de violence qui reconstitue la relation traditionnelle du duo :

> « ESTRAGON. — Je ne pourrai plus marcher !
> VLADIMIR *(tendrement)*. — Je te porterai. *(Un temps)* Le cas échéant. »

Les apparences sont trompeuses et les pulsions humaines inattendues, puisque Lucky, l'inoffensif souffre-douleur, se montre capable de violence envers ceux qui lui manifestent de la pitié.

Toute faille dans l'autorité, toute faiblesse est immédiatement exploitée par les autres. Didi et Gogo retrouvent entente et bonne humeur quand Pozzo perd sa pipe et la cherche vainement. Pozzo, habituellement sur ses gardes, s'affiche comme celui qui ne commet pas d'erreurs. Cette toute petite inattention suffit à provoquer un renversement dans la considération qu'ils lui manifestaient ; Estragon le regarde comme un comique :

« Il est marrant ! Il a perdu sa bouffarde ! *(Rit bruyamment.)* »

Personne, évidemment, ne cherche à l'aider, chacun étant trop occupé par ses problèmes ou par ses propres affaires, et personne ne semble se souvenir qu'il les faisait trembler de peur quelques instants plus tôt.

Ceci n'empêche pas un trio de se constituer plus tard, à l'écoute du numéro de Lucky. Les relations sont alors complexes, puisque, si celui-ci se donne en spectacle sur l'ordre de Pozzo et pour le plaisir des deux autres, il n'est pas exclu qu'il tire aussi un bénéfice en occupant le devant de la scène et en obtenant toute leur attention, même s'il n'est plus aussi bon danseur et penseur qu'il n'était.

Au second acte, les appels désespérés de Pozzo n'entraînent d'abord qu'une très longue délibération des deux compères. Tous les cas de figure relationnels sont examinés, toutes les solutions passées en revue, en fonction de leur seul intérêt : « Pauvre Pozzo ! » s'exclame d'abord Vladimir ; puis, plus tard :

« ESTRAGON — Si on lui demandait les os d'abord ? Puis s'il refuse on le laissera là.
VLADIMIR. — Tu veux dire que nous l'avons à notre merci ?
ESTRAGON. — Oui.
VLADIMIR. — Ça a l'air intelligent en effet. Mais je crains une chose.
ESTRAGON. — Que Lucky ne se mette en branle tout d'un coup. Alors nous serions baisés. [...] »

Ils envisagent ensuite de le battre, puis au contraire de le secourir en tablant sur sa reconnaissance. Finalement, ils acceptent de l'aider après avoir reçu la promesse d'une somme d'argent, en ayant pris soin de faire monter les enchères.

Dans tous ces cas, les relations n'obéissent pas à une logique psychologique mais à des variations épisodiques dépendant de stratégies provisoires, ordinairement liées à des principes de survie.

Alliances et entraides

Il existe pourtant un cadre social établi, celui de la politesse et de la civilité ordinaires. Pozzo manifeste à plusieurs reprises qu'il obéit à des codes qui régissent les relations entre les hommes. La façon, par exemple, dont il commente les instants passés en compagnie de Vladimir et Estragon, le plaisir qu'il manifeste à rencontrer ses « semblables », même s'il souligne ironiquement le terme, ou l'interminable rituel d'adieu qui clôt leur premier échange, renvoient aux formes établies qui régissent les rapports sociaux :

> « ESTRAGON. — Alors, adieu.
> POZZO.— Adieu.
> VLADIMIR. — Adieu.
> ESTRAGON. — Adieu.
> *Silence. Personne ne bouge.*
> VLADIMIR. — Adieu.
> POZZO. — Adieu.
> ESTRAGON. — Adieu.
> *Silence.*
> POZZO. — Et merci.
> VLADIMIR. — Merci à vous.
> POZZO. — De rien.
> ESTRAGON. — Mais si.
> POZZO. — Mais non.
> VLADIMIR. — Mais si.
> ESTRAGON. —Mais non.
> *Silence.*
> POZZO. — Je n'arrive pas... (il hésite)... à partir.
> ESTRAGON. — C'est la vie. »

Cet échange de politesses comiquement étiré correspond mal à la réalité de leur rencontre, qui ne mérite pas de tels déploiements de précautions. Dans le contexte de la pièce, les bonnes manières des uns et des autres contredisent la brutalité de leurs relations. Souvent, il ne s'agit chez Pozzo que d'une sorte de vernis relationnel qu'il applique systématiquement, en soulignant ce qu'il a de convenu et d'automatique. Pourtant, ici, il n'arrive vraiment pas à partir, et l'on ne sait pas s'il s'agit d'une difficulté à quitter la scène ou à quitter ses partenaires. Il semble que, en dépit de l'absence de réelle chaleur dans leurs relations, tout vaudrait mieux que la solitude qui va suivre. Beckett parodie les codes de la politesse mondaine, comme si Pozzo s'était rendu à une invitation, mais il laisse poindre une ambiguïté, puisque les personnages n'arrivent pas à se séparer. Estragon clôt l'échange par un lieu commun : les séparations appartiennent aux expériences inévitables des êtres humains.

À côté de ces relations convenues, de brefs élans apparaissent dans les échanges entre Estragon et Vladimir, contredisant les moments de froideur ou les stratégies de pouvoir. Chaque fois que Gogo fait un cauchemar, Didi le console avec une affection qui n'a rien de parodique. C'est ainsi qu'il « enlève son veston et lui couvre les épaules », qu'il « court vers lui, l'entoure de son bras » quand il s'éveille en sursaut :

> « VLADIMIR. — Là... là... je suis là... n'aie pas peur.
> ESTRAGON. — Ah !
> VLADIMIR. — Là... là... c'est fini.
> ESTRAGON. — Je tombais.
> VLADIMIR. — C'est fini. N'y pense plus. »

Dans ces moments rares, une réelle tendresse les unit, contredisant leurs disputes ou les échanges parodiques autour des accolades proposées et refusées, par exemple, lors de leurs retrouvailles.

Ces pulsions n'entrent pas forcément dans le cadre des relations ordinaires régissant l'existence des deux « vagabonds » ; elles ne sont pas plus attendues dans la routine théâtrale qui règle les numéros des duettistes. Ces fragments de dialogues font place, au contraire, à des moments très brefs de tendresse, ou, ailleurs, de violence pure, à des « affects » qui les humanisent fugitivement en les sortant du contexte parodique et des échanges de paroles réglées. Ajoutés à leur perpétuel état de souffrance, de tels instants contribuent à rendre les personnages plus complexes en éclairant soudain un aspect inattendu de leur condition.

Souffrances

Quelles que soient les situations de pouvoir ou de dépendance qui les caractérisent, ces personnages ont en commun de souffrir dans tous les aspects de leur existence. Prosaïquement, ils souffrent de la faim et du froid. Leurs corps subissent de petites et de grandes misères, ils sentent de la bouche ou des pieds, ils se déplacent avec difficulté ; la pièce s'ouvre d'ailleurs sur la scène de la chaussure trop petite qui préoccupe Estragon. Celui-ci, qui dort dans les fossés, est régulièrement roué de coups, et il les subit comme s'il s'agissait d'un traitement ordinaire. Lucky porte les stigmates de la corde qui frotte sur sa peau, il bave. Pozzo, le seul qui échappe en apparence à ces malédictions, finit par ramper dans l'obscurité et par se tordre de douleur en appelant au secours.

Leurs souffrances sont augmentées par la violence qui règle une partie de leurs rapports. Les menaces qu'ils s'adressent, les coups réels qu'ils se portent et la philosophie du « chacun pour soi » qui transparaît dans les échanges, bien qu'elle soit contredite ou nuancée par les « attachements » déjà signalés, s'ajoutent aux souffrances venues de l' extérieur.

Leur douleur morale n'est pas moindre, puisqu'ils ne bénéficient d'aucun espoir ni d'aucun projet qui compenserait leur misère. Dans ce contexte, l'attente est envisagée positivement parce qu'elle est le seul élément tangible qui structure Didi et Gogo. Pozzo et Lucky, eux, repartent sans but, comme s'ils étaient condamnés à parcourir le monde aux deux bouts d'une corde.

Au théâtre, une telle accumulation de douleurs corporelles est rare. Si elles étaient prises au pied de la lettre et traitées sous l'angle du naturalisme, les quatre personnages se présenteraient comme des vieillards se déplaçant avec difficulté, en proie à tous les troubles de l'âge. Le temps a fait son œuvre ; Pozzo est le seul à désigner avec insistance sa résistance au vieillissement, mais il est frappé là où il ne s'y attendait pas.

Beckett accumule sur eux toutes les misères du monde et, paradoxalement c'est ce trop-plein de douleurs, qui devrait paraître insupportables, qui les inscrit dans l'espace du théâtre et provoque autant de comique que d'effroi. Ils s'opposent au corpus de tous les personnages de théâtre qui ignorent tout de la douleur physique et qui ne semblent engagés que dans des projets supérieurs.

Le traitement complexe des personnages de *Godot* engage le jeu dans plusieurs directions. Anti-héros, leur identité, leur âge, leur déchéance et leur statut social les opposent aux personnages du théâtre de l'époque. L'inscription très forte de systèmes duels et toute une série de parallélismes les regroupent en des « figures » qui apparentent leurs relations à un ballet architecturé, selon qu'ils s'opposent ou s'allient, coopèrent ou s'affrontent en assumant ou en mettant à mal la dualité qui régit leur existence. Mais ce que ces figures pourraient avoir de trop abstrait ou de trop systématique est balancé par leurs souffrances et par de brefs moments où ils sont soumis à des pulsions qui les humanisent sans jamais les faire basculer dans le pathétique. Ils appartiennent au monde du théâtre et du music-hall et ils obéissent à ses conventions. Mais ils apparaissent aussi comme des représentants de la condition humaine, dont ils exhibent les appétits, les faiblesses et les tensions.

IV. Le double jeu du théâtre

Il est question de théâtre dans le théâtre quand une pièce de théâtre ou un fragment est enchâssé dans une autre pièce de théâtre, quand des acteurs-personnages deviennent les spectateurs d'autres protagonistes. Dans les exemples classiques célèbres (*Hamlet* de Shakespeare, *l'Illusion comique* de Corneille, *l'Impromptu de Versailles* de Molière), des pièces sont ainsi jouées en fonction des traditions du théâtre de l'époque, le spectateur assistant à une représentation dans la représentation. Cette structure dramatique peut avoir un simple intérêt de curiosité en présentant les « coulisses » à découvert, en exhibant les conventions du hors-scène sur la scène. Elle peut aussi servir à dénouer l'action principale par l'accomplissement d'un rituel qui dévoile dans la fiction interne les enjeux de la fiction principale, comme c'est le cas dans *Hamlet*. On parle alors de « mise en abyme » ou « d'effet de miroir » quand les thèmes de la pièce-cadre et ceux de la pièce enchâssée se croisent en créant une sensation de vertige.

Le théâtre moderne, avec Anouilh, Pirandello, Brecht, a redonné une nouvelle vie à des effets de trompe-l'œil souvent considérés comme une caractéristique du théâtre baroque. Dans *Six personnages en quête d'auteur* de Pirandello, le tissage entre les deux niveaux de théâtre se fait plus serré, les moments de jeu dans le jeu sont moins cantonnés à une séquence particulière, l'alternance s'accélère et devient plus complexe.

Aujourd'hui, on tend à élargir la notion de théâtre dans le théâtre à tout effet esthétique ou à tout élément de théâtralité qui souligne la convention de jeu, à tout clin d'œil, même fugitif, en direction du spectateur, à ce que la critique appelle le « métathéâtre » ou théâtre parlant du théâtre.

« Samuel Béquet, juif groenlandais »

Comme on l'a vu, Beckett s'était montré sensible dès sa première pièce, *Eleutheria*, à cette structure dramatique, en faisant intervenir en plein milieu de l'action un personnage appelé « Un Spectateur », descendu d'une loge pour critiquer l'action en cours et proposer des solutions plus conformes aux traditions dramatiques. Cette dérive par rapport à « l'action officielle » entraînait à son tour l'intervention du « Souffleur » venant protester contre le manque de respect envers le texte prévu : « J'en ai marre. Vous ne suivez pas le texte. Vous me dégoûtez. Bonsoir.» Ces moments de théâtre dans le théâtre avaient pour fonction d'inscrire une réalité, celle des spectateurs assistant à la représentation, contre la fiction se déroulant devant eux. Le Spectateur y occupait la position critique d'un personnage connaissant mieux que les acteurs les règles du théâtre et offrant sa collaboration dramaturgique :

> « SPECTATEUR. — Je constate une chose. Je ne suis pas parti. Pourquoi ? Par curiosité ? Si vous voulez.[...] Non, si je suis toujours là, c'est qu'il y a quelque chose dans cette histoire qui me paralyse littéralement et me remplit de stupeur. Comment vous expliquer ça ? Vous jouez aux échecs ? Non. Ça ne fait rien. C'est comme lorsqu'on assiste à une partie d'échecs entre deux joueurs de dernière catégorie, il y a trois quarts d'heure qu'ils n'ont pas touché à une pièce, ils sont là comme deux couillons à bayer [bâiller] sur l'échiquier, et vous aussi vous êtes là, encore plus couillon qu'eux, cloué sur place, dégoûté, ennuyé, fatigué, émerveillé par tant de bêtise. Jusqu'au moment où vous n'y tenez plus. Alors vous leur dites : Mais faites ça, faites ça, qu'est-ce que vous attendez, faites ça et c'est fini, n'en parlons-plus. C'est inexcusable, c'est contraire au savoir-faire le plus élémentaire [...] » (Extrait du manuscrit inédit d'*Eleuthéria* dans la Revue d'esthétique, *Samuel Beckett*.)

Cette intervention prend ici la forme d'un manifeste en faveur du théâtre dramatique bien construit, la référence aux échecs renvoyant à toute une conception de l'intrigue et du conflit, à l'action comme une série de « coups » maintenant le spectateur en haleine. Ce spectateur connaisseur se fait le porte-parole du « savoir-faire le plus élémentaire » dont les canons ne sont pas appliqués par

l'auteur, en l'occurrence Beckett lui-même qui porte la contestation
sur scène, dans sa propre œuvre, comme s'il savait à l'avance ce
qu'on allait lui reprocher, et au nom de quelles valeurs.

Le théâtre dans le théâtre ne vise donc ici aucun effet esthétique.
Il provoque un effet de surprise ; la critique interne y coupe l'herbe
sous les pieds d'éventuels détracteurs. Le miroir ironiquement
tendu au « vrai spectateur » est celui de sa propre insatisfaction, de
son ennui ou de sa rage En absorbant à l'avance l'argumentation
des tenants de la tradition, Beckett montre qu'il n'est pas dupe et,
implicitement, que, s'il choisit sa forme d'écriture théâtrale, c'est en
connaissance de cause et non par ignorance ou impuissance.
Molière écrivait, lui, deux pièces différentes, par exemple *L'École des
femmes* et *La critique de l'École des femmes*, où il théâtralisait la parole des opposants à ses textes. Beckett reprend le même principe
mais en incluant la seconde dans la première, en court-circuitant à
l'avance le discours de ceux qui savent ; mi-provocateur mi-amusé,
il construit son auto-analyse des causes de l'échec de sa dramaturgie, quitte à creuser dangereusement sa propre fosse :

> « À propos, qui a fait ce navet ? *(Programme.)* Beckett *(Il dit
> Béquet)*, Samuel, Béquet, Béquet, ça doit être un juif groenlandais
> mâtiné de calvadosien. » *(Eleuthéria.)*

L'effet de théâtre dans le théâtre s'appuie toujours sur le jeu du
« double référent » théâtral, l'action renvoyant à une « réalité » extérieure à la représentation et à la réalité de la représentation elle-
même. Ce moment de métacritique privilégie l'irruption de la
représentation au sein de la représentation pour la dénoncer et la
mettre en danger, et aussi, dialectiquement, pour la défendre. Le
Spectateur fait allusion aux autres spectateurs dont il est une sorte
de porte-parole :

> « Car je ne suis pas un mais mille spectateurs, toujours légèrement
> différents les uns des autres. J'ai toujours été comme ça, comme
> un vieux buvard, d'une porosité extrêmement variable. » *(Eleuthé-
> ria.)*

Il se réfère aux discussions avec un critique au bar de l'entracte, à
tout ce qui entoure une représentation ordinaire. Son intervention
prend davantage de consistance pour apparaître comme une sorte
« d'effet de réel ». L'intervention du spectateur finit par dégoûter

l'un des personnages, Vitrier, qui quitte la scène et le force à reprendre son rôle.

Le théâtre dans le théâtre dans *En attendant Godot*

L'effet de théâtre dans le théâtre n'est pas aussi clair dans *En attendant Godot*, il n'est pas explicité par l'intervention d'un spectateur, mais on y trouve, sous une forme moins directement provocatrice et farcesque, plus diffuse, le même système de provocations qui déjoue à l'avance les réactions probables des vrais spectateurs. Cette fois, les personnages font le travail eux-mêmes en commentant leurs difficultés à faire avancer l'action ou en soulignant qu'ils sont, en fait, des acteurs condamnés à aller tant bien que mal au bout de la pièce.

L'espace théâtral désigné comme tel

Une première série d'allusions concerne l'espace théâtral et la présence de spectateurs. Dès les premières pages du texte, la règle du « quatrième mur » qui enferme les personnages dans la boîte scénique de l'espace de l'illusion est enfreinte. Les acteurs manifestent qu'ils « voient » les spectateurs ou laissent entendre qu'ils ne sont pas dupes du rapport scène/salle qui est instauré dans la plupart des représentations se déroulant sur une scène à l'italienne et notamment dans la représentation réaliste :

> « ESTRAGON.— Endroit délicieux. (*Il se retourne, avance jusqu'à la rampe, regarde vers le public.*) Aspects riants. (*Il se tourne vers Vladimir.*) Allons-nous en. »

L'indication scénique ne laisse pas de doute sur l'espace que Beckett envisage, la rampe du théâtre à l'italienne marquant, au même titre que la fosse, la coupure entre les deux espaces. La réplique à double entente souligne la convention du lieu théâtral et, si elle n'est pas adressée directement aux spectateurs, enregistre leur présence. Nous sommes au théâtre, les personnages (les acteurs ?) le savent, et agiront en conséquence.

Un peu plus loin, la remarque se fait provocante, Vladimir « *(se tournant vers le public)* » y voit une « tourbière » après avoir désigné l'arbre de l'espace scénique. La « tourbière » marquant au sens propre la présence de fonds marécageux, et littéralement un lieu où l'on risque de s'enliser, cette adresse au public est à double sens. « Nous sommes servis sur un plateau », diront-ils plus loin. Quand, au second acte, Estragon décide de s'enfuir, il n'ira pas plus loin que « jusqu'au bord de la pente », qui peut désigner un lieu réaliste mais également la pente de la scène à l'italienne ou une rampe d'accès au plateau.

Il est incontestable que *Godot* se passe dans un lieu de fiction, la fameuse route avec un arbre, mais aussi dans un théâtre dont les personnages ne peuvent quitter la scène et en présence d'un public comme le prévoit le texte. Il ne s'agit pas de théâtre dans le théâtre au sens strict, mais au moins d'un jeu sur le double référent, le texte renvoyant selon les moments, et sans faire de différence, à un espace qui se donne comme l'espace fictif ou comme le lieu de la représentation.

Le déplacement de la théâtralité

On a vu que des épisodes de la pièce se présentent comme de véritables « numéros » de music-hall ou des scènes spectaculaires détachées. Une partie des personnages devient alors spectateur de la performance d'un ou de plusieurs autres personnages. Ces moments ne sont pas vraiment enchâssés dans le texte par des indications qui marqueraient sans équivoque qu'il s'agit de théâtre dans le théâtre. On peut les considérer comme tels parce qu'ils constituent des moments de théâtralité consacrés par le regard des autres et surtout par les commentaires qui les accompagnent.

Il en est ainsi du moment où Vladimir urine sous le regard de Pozzo et d'Estragon, de plusieurs interventions de Pozzo, notamment son discours poétique déjà commenté, et de la longue intervention de Lucky : celui-ci est d'ailleurs présenté à plusieurs reprises comme une « attraction », moins bonne qu'autrefois, mais

cependant apte à satisfaire un moment Vladimir et Estragon.
Parfois, c'est seulement le commentaire des spectateurs provisoires
qui donne à l'action son caractère théâtral, aucun cadre clairement
établi n'annonçant le numéro détaché. C'est le cas, par exemple, de
cette intervention de Pozzo :

> POZZO — [...] Je ne sais plus très bien ce que j'ai dit, mais vous
> pouvez être sûr qu'il n'y avait pas un mot de vrai là-dedans.(*Se
> redresse, se frappe la poitrine.*) Est-ce que j'ai l'air d'un homme
> qu'on fait souffrir, moi ? Voyons ! (*Il fouille dans ses poches.*)
> Qu'est-ce que j'ai fait de ma pipe ? »

Cette intervention banale appelle immédiatement les commentaires suivants :

> « VLADIMIR.— Charmante soirée.
> ESTRAGON. — Inoubliable.
> VLADIMIR. — Et ce n'est pas fini.
> ESTRAGON.— On dirait que non.
> VLADIMIR.— Ça ne fait que commencer.
> ESTRAGON. — C'est terrible.
> VLADIMIR. — On se croirait au spectacle.
> ESTRAGON. — Au cirque.
> VLADIMIR. — Au music-hall.
> ESTRAGON. — Au cirque. »

Comme Pozzo s'obstine à chercher « sa bruyère », Estragon le
trouve « marrant » et « *rit bruyamment* ». Vladimir sort pour uriner
en lançant : « Garde ma place », soulignant sans équivoque qu'il se
croit bel et bien au spectacle.

L'action ordinaire et somme toute quotidienne (chercher sa pipe)
d'un personnage étranger au cercle des intimes suffit pour qu'elle
soit consacrée moment de spectacle par ceux qui regardent. Leurs
premiers commentaires sont cependant ambigus et toutes les
répliques sont à double entente, puisque nous sommes au théâtre et
non « au cirque », mot péjoratif dans la langue courante quand il
s'agit de désigner un événement quotidien ridicule ou incongru. Il
n'est plus besoin de faire appel comme dans *Eleutheria* à un vrai-
faux spectateur venant protester contre la médiocrité de ce qui lui
est présenté. Les personnages assument eux-mêmes cette fonction,
ôtant à l'avance de la bouche d'un vrai spectateur tout commentaire
déplaisant.

Il n'y a pas d'intention évidente d'inscrire une structure dramatique de théâtre dans le théâtre dans le déroulement de l'action. Celle-ci arrive comme accidentellement, par le glissement d'un geste quotidien pris pour un gag désopilant par ceux qui l'observent depuis la scène, mais pas nécessairement par les vrais spectateurs, sans doute plus réservés. Il existe pourtant encore une mise en abyme puisque les personnages s'instaurent spectateurs.

Beckett déplace donc la notion de spectaculaire et en fait une sorte de clef pour ceux qui regardent sa propre pièce. Il n'y a plus rien à voir, sauf pour ceux qui s'obstinent à trouver drôle ou intéressant ce qui arrive. On peut difficilement aller plus loin dans la destruction des normes ordinaires du spectaculaire et pour, dans le même mouvement, réhabiliter le spectacle à condition de vouloir trouver intéressant tout ce qui se produit. La théâtralité n'est pas forcément ou exclusivement là où on l'attend, elle existe dans les efforts des humains qui s'efforcent d'agir et de continuer à vivre « normalement ». De tels efforts peuvent ressembler à du cirque ou à du music-hall pour ceux qui les observent d'un regard extérieur. Rien n'est spectaculaire, tout le devient, y compris la souffrance et la maladie de Lucky que Vladimir et Estragon observent avec une attention passionnée ou les difficultés urinaires de Vladimir, qu'Estragon invite Pozzo à contempler comme un spectacle extraordinaire.

Le théâtre n'est donc plus là où le spectateur l'attendait, Beckett en a fait bouger les frontières. Le Spectateur d'*Eleutheria* qui proposait de mettre Beckett au pilon donnait sa recette dramaturgique, une sorte de pièce à thèse manichéiste, avec « des situations franches et nettes, dérisoires et désopilantes ». Dans la même pièce, Olga reproche à Victor d'avoir « changé » alors qu'il estime avoir « toujours été comme ça » :

> « OLGA.— Mais non ! Ce n'est pas vrai ! Tu m'aimais. Tu travaillais. Tu blaguais avec ton père. tu voyageais. Tu…
>
> VICTOR. — C'était du théâtre. Et puis assez. Va-t-en. »

Le double jeu de la représentation

Vladimir et Estragon obéissent aux règles de l'ancien théâtre qu'ils affectionnent et ils sont prêts à faire des efforts pour être intéressants. Ils ne sont pas seulement spectateurs des numéros des autres, ils jugent aussi leurs propres efforts pour aller au bout de la pièce en fonction de la réussite de tel ou tel numéro qu'ils reprennent, même quand ils n'en ont pas envie.

Leurs commentaires portent sur leurs performances théâtrales personnelles, au point qu'ils finissent par « tout faire » dans la pièce. Ils jouent, ils sont spectateurs de leurs partenaires, ils sont « montreurs » de quelques-unes des « attractions » et ils apprécient en connaisseurs leurs propres prestations accomplies minute par minute. Même s'il leur arrive de ne pas « être en train » quand ils font leurs exercices, ailleurs, « On ne se débrouille pas mal tous les deux », déclare Estragon et, plus loin, Vladimir remarque à la seconde arrivée de Pozzo et Lucky : « Nous commencions à flancher. Voilà notre fin de soirée assurée. »

Il arrive alors, dans l'analyse, qu'on ne sache plus si nous faisons référence à des personnages ou à des acteurs, tant les deux identités alternent ou se superposent, se mêlent et finissent par se brouiller. Parfois, c'est l'épaisseur du réel qui l'emporte, quand ils donnent quelques précisions biographiques ou quand ils semblent prendre enfin à leur compte les événements qui leur arrivent, surtout dans la deuxième partie où la souffrance de l'attente semble l'emporter sur les jeux du théâtre ; parfois, ils ne sont plus que des acteurs soucieux de mettre en œuvre tous les expédients connus, improvisés ou réimprovisés afin d'aller au bout de la représentation. Il y a quelque chose de « Ce soir, on improvise » dans *En attendant Godot*, dans l'affirmation que ce qui compte est de poursuivre à tout prix ce qui est en cours, donc la représentation, en fonction du lieu commun, « *the show must go on* », le spectacle doit continuer. Le canevas d'improvisation est limité, les dérives réduites et les inventions toujours subordonnées à l'action principale, l'attente de Godot et de la fin du spectacle qui va les délivrer de cette frénésie d'invention obligatoire. L'ambiguïté est d'autant plus forte que ces inventions n'en sont pas vraiment et qu'inévitablement ils ressassent, reprennent des numéros établis (celui de la chaussure, celui de l'arbre), perdent leur texte et retrouvent avec soulagement quelques réparties qui ne leur ont pas encore servi jusque là.

Comme on l'a vu pour le temps de la fiction et le temps de la représentation qui se superposent, l'effort pour continuer à jouer et l'effort pour continuer à attendre et à vivre se confondent également. Beckett n'exprime pas de généralités comme : « le théâtre c'est la vie », ou : « la vie est un vaste théâtre », mais il fait percevoir le théâtre comme une allégorie de l'existence. Il construit une machine artistique destinée à faire éprouver l'épaisseur de l'attente en superposant la réalité de celle-ci pendant le spectacle et la fiction de l'attente d'un personnage qui n'a pas vraiment d'importance, puisque ce qui compte, c'est l'attente.

Le jeu théâtral proprement dit prend donc beaucoup d'importance dans la pièce, davantage en lui-même que comme imitation de la vie. L'essentiel est moins d'aller au bout d'une fiction (l'arrivée de Godot), sur laquelle les acteurs-personnages, par leurs commentaires, ne se font guère d'illusions en termes d'intérêt dramatique, que de maintenir perpétuellement une activité de jeu. C'est pour cela qu'ils font flèche de tout bois, profitant de l'espace théâtral qu'ils commentent, de toute chance nouvelle de produire ou d'assister à un intermède spectaculaire ; c'est pour cela qu'ils profitent de la présence des spectateurs en les incluant dans la tension de la représentation. C'est pour cela aussi qu'ils se découragent, quand, décidément, le théâtre ne fait pas son office et qu'il s'enlise dans la banalité et l'ennui. À ce propos, Monique Borie écrit :

> « Beckett semble avoir exploré jusqu'à leur réduction extrême les possibilités de la forme théâtrale. Parti de la littérarité du théâtre comme morceau d'espace et morceau de temps à remplir, il a, à l'intérieur de cette double clôture, joué avec tous les possibles de la parole et du jeu, pour les ramener à l'épure. » (*Dictionnaire encyclopédique du théâtre*, Bordas.)

Nous pouvons donc difficilement parler de théâtre dans le théâtre au sens strict, puisqu'ici le théâtre ne vient pas s'enchâsser dans une forme qui lui préexiste. Il est l'origine et le moteur de tout ce qui se produit, il est la page blanche à noircir, l'espace et le temps donnés au jeu, et, dans son accomplissement, la métaphore du temps qui passe. De ce point de vue, il n'y aurait pas théâtre dans le théâtre, mais simplement théâtre. Du théâtre qui se construit et se consomme devant les spectateurs, une activité irréversible et dérisoire qui n'existe que pour l'instant et dans l'instant qui passe.

V. Interprétations

En dépit de la résistance de Beckett qui répondait toujours
« peut-être » aux questions sur son œuvre, *Godot* a reçu toutes sortes
d'interprétations plus ou moins hypothétiques, implicitement dans
les mises en scène, explicitement dans les travaux universitaires.
En l'espace d'une quarantaine d'années, le commentaire a évolué
de la recherche de significations symboliques qui donneraient la
clef de l'œuvre à un intérêt beaucoup plus marqué pour la théâtralité spécifique de la pièce. On a cherché en premier lieu à rattacher
cette œuvre non identifiée à des concepts de son temps, en appli-
quant parfois de manière artificielle des schémas philosophiques de
l'époque. De là vient la fortune de la notion de « théâtre de l'absurde » qui a beaucoup nourri les commentaires. C'est cependant à
propos de ses préoccupations religieuses ou métaphysiques que
Beckett a subi le plus de questionnaires et d'interviews qui cher-
chaient à lui faire avouer ce qu'il avait « voulu dire », là où il affirmait s'être contenté d'écrire.

Plus récemment, la critique s'est montrée moins sensible à la
recherche d'un sens explicite qu'à un intérêt pour les formes et les
processus d'écriture de la pièce. La tâche était plus aisée, il est vrai,
dans la mesure où les œuvres théâtrales postérieures de Beckett
avaient fourni davantage d'éléments pour l'exégèse et que se dessi-
nait une cohérence d'ensemble.

Les commentaires les plus récents portent notamment sur
l'apparition d'une forme théâtrale qui unit le temps de la fiction et
le temps de la représentation, comme on l'a vu à propos du théâtre
dans le théâtre, et sur l'enfermement des personnages dans un espace concret et clos, celui de la scène.

On accepte également plus volontiers aujourd'hui qu'un auteur n'écrive pas « sur quelque chose », donc qu'il ne se soit pas donné de « sujet » ou d'intention philosophique préalable, mais qu'il écrive « quelque chose », en l'occurrence une pièce de théâtre. C'était déjà le sens de la remarque du metteur en scène Alan Schneider :

> « Depuis cette brève question initiale sur l'aspect cosmique de *Godot*, Sam n'a plus jamais voulu discuter avec moi – ni avec personne d'autre – ni du fond métaphysique ni de la signification symbolique d'aucune de ses pièces ; de mon côté, je n'ai pas insisté là-dessus. Comme il l'a lui-même écrit à propos de Proust, Beckett au fond et tout bien considéré "n'écrit pas sur quelque chose, il écrit quelque chose" ». (« Travailler avec Beckett », *Cahiers de l'Herne*, 1976.)

Un tour d'horizon du paysage critique aide à saisir l'insistance avec laquelle les commentaires ont cherché à faire parler un auteur et un texte pourtant rétifs à se laisser traduire en concepts.

La théorie de l'absurde

Apparue, comme on l'a vu, juste au moment de la vogue de la pensée de Sartre et de celle de Camus, la pièce de Beckett appartient à l'après-guerre et se joue avec, en arrière-plan, le souvenir des ruines de la guerre et des atrocités des camps de concentration. Il est tentant de lire *Godot* (et davantage encore *Fin de partie)* dans ce contexte « d'après la catastrophe » comme d'ultimes considérations sur la condition humaine avec, pour toile de fond, des ruines fumantes et un univers sans Dieu.

L'« expérience de l'absurde » remonte au constat de ceux qui, reprenant la pensée du Zarathoustra de Nietzsche, entérinent la mort de Dieu. L'univers est alors privé de son sens et de son but, et il faut en tirer les conséquences pour la condition des hommes qui doivent y faire face.

Des philosophes modernes ont donné à « l'expérience de l'absurde » une place prépondérante dans les « philosophies de l'existence », notamment Heidegger, Sartre, Camus, G. Marcel. Ils ne la ressentent pas tous de la même manière. Il est question d'angoisse et de facticité chez Heidegger, d'absurdité de la vie humaine et de non-existence chez Sartre, d'incohérence de la condition humaine et de projection dans l'action chez Camus, de « mystère fondamental » chez G. Marcel.

Dans son importante analyse intitulée *Théâtre de l'absurde* (Buchet-Chastel, 1963), Martin Esslin s'inspire des théories philosophiques du temps et montre comment le théâtre des années cinquante partage ces théories sans pour autant les transformer en messages. Il dresse une ligne de partage nette entre ce qui relève du « philosophique » et ce qui relève du « poétique », mais partant du constat nietzchéen, il donne cependant cette définition générale du théâtre de l'absurde :

> « Il fait face courageusement au fait que, pour ceux qui croient que le monde a perdu son sens et son explication capitale, il n'est plus possible d'accepter des formes d'art qui soient encore basées sur des critères et des concepts qui ont perdu leur valeur, ceux qui permettaient de connaître les lois de la morale et les valeurs essentielles, telles que l'on peut les déduire de la ferme croyance en une certitude révélée concernant le rôle de l'homme dans l'univers. »

Il ajoute : « En exprimant un sentiment tragique de perte devant la disparition des certitudes fondamentales », ce théâtre « est également le symptôme de ce qui est le plus voisin d'une authentique quête religieuse ».

En partant de ces considérations, Esslin fait entrer dans son cadre général toute une série d'œuvres de l'époque qui lui semblent relever de près ou de loin de cette philosophie. Certes, il ne tombe pas dans le piège de l'élaboration précise de « messages », puisqu'il a bien noté que de telles pièces « ne racontaient plus d'histoires afin de présenter une morale ou une leçon sociale ». Fidèle à son analyse dramaturgique qui voit dans les pièces de cette époque « une image poétique complexe », il les considère comme analogues à des poèmes symbolistes ou imagés :

> « Le Théâtre de l'Absurde vise à la concentration et à la profondeur par un dessin poétique essentiellement lyrique. »

Une telle conception, intéressante à divers égards, ne l'empêche pas de préciser que les choses qui arrivent dans *En attendant Godot* « sont l'image du sentiment qu'a Beckett que rien n'arrive jamais réellement dans l'existence ». À partir de ce saut méthodologique radical qui attribue à Beckett une intuition générale qui devient une sorte de clef du texte, il n'entre plus dans l'analyse détaillée de l'œuvre, sinon pour vérifier qu'elle illustre bien ce principe fondamental. C'est ainsi qu'il salue la profondeur des réactions des détenus qui assistèrent à une représentation de la pièce à la prison de San Quentin, aux États-Unis. Ils en ressentirent la valeur thérapeutique car « c'était un soulagement pour les détenus [que] de pouvoir reconnaître, dans la situation tragi-comique des vagabonds, le caractère désespéré de leur propre attente d'un miracle. Ils pouvaient rire des vagabonds et d'eux-mêmes. »

La théorie de l'absurde élaborée par Esslin est difficilement contestable puisqu'il ne se situe pas sur le plan de l'analyse strictement textuelle ; il fait remarquer que les personnages du théâtre de l'absurde appartiennent à l'univers du « *nonsense* » et que l'on chercherait inutilement à trouver une cohérence dans les actions qu'ils entreprennent ou dans les chimères qu'ils poursuivent. De même définit-il à plusieurs reprises un texte comme le reflet d'un sentiment intérieur de l'auteur. Ceci ne l'empêche pas de déclarer que les personnages de *Godot* « attendent un miracle » et donc de conceptualiser, sous une forme très orientée du point de vue du sens, une attente qui n'est jamais définie exactement comme telle dans le texte de Beckett.

On peut entériner cette analyse si l'on accepte les prémisses d'une méthode critique qui s'appuie sur l'influence déterminante du sujet écrivant, de l'auteur présent derrière ses personnages. Ce que font ou disent les personnages, aussi ambigu ou aussi absurde que ce soit, s'explique entièrement par un présupposé philosophique qui appartiendrait à l'auteur ; et pourtant, Esslin prend soin de situer les œuvres sur le plan du sensible et comme hors du champ du débat philosophique ou intellectuel.

Si l'on attribue aux personnages de Godot une « expérience de l'absurde », étayée par divers propos concernant leur condition, cette interprétation est concevable. Mais il s'agit de savoir s'il faut prendre totalement au sérieux des citations sorties de leur contexte énonciatif. Vladimir et Pozzo, par exemple, affectionnent les discours pompeux où se mêlent des bribes de philosophie empruntées, des souvenirs de prises de position humanistes, et des lieux communs dignes du café du Commerce. Il est utile, pour s'y retrouver, de faire la part de la « pose » du personnage qui affiche son sérieux :

> « VLADIMIR.— L'appel que nous venons d'entendre, c'est plutôt à l'humanité tout entière qu'il s'adresse. Mais à cet endroit, en ce moment, l'humanité c'est nous, que ça nous plaise ou non. Profitons-en, avant qu'il soit trop tard. représentons dignement pour une fois l'engeance où le malheur nous a fourrés. [...] Le tigre se précipite au secours de ses congénères sans la moindre réflexion, ou bien il se sauve au plus profond des taillis. Mais la question n'est pas là [...]. »

Ce discours « héroïque » fait suite à l'appel désespéré de Pozzo dans la deuxième partie. Il n'est pas exempt de dérision, puisque, face à une situation simple et qui demande une réponse par l'action, Vladimir mêle les tergiversations retorses et les postures nobles de la délibération intellectuelle qui retardent d'autant plus toute intervention effective.

Si nous prenons au sérieux *tous* les discours prononcés par les personnages, nous perdons de vue leur dimension parodique et proprement théâtrale, alors que Beckett reprend sur un mode ambigu bon nombre de débats qui agitent les penseurs de son temps, ici par exemple un discours sur la nécessité de l'action et sur la solidarité « humaine ». La métaphore du tigre ajoute à l'ambiguïté du propos.

Pozzo se comporte le plus souvent comme un phraseur qui prend plaisir à briller à peu de frais devant son auditoire de rencontre. Les commentateurs choisissent de préférence dans ses propos ce qui conforte leur point de vue, notamment les discours métaphysiques, en négligeant l'ensemble des propos dissertatoires ou pseudo-poétiques du personnage, qui s'entend aussi bien à parler du nombre de pipes qu'il prend plaisir à fumer que du crépuscule qui tombe. Apte à parler de « n'importe quoi » pour nourrir la conversation, il affectionne les paradoxes et les vérités générales pourvu qu'il puisse déployer ses talents de rhéteur verbeux :

« Les larmes du monde sont immuables. Pour chacun qui se met à pleurer, quelque part un autre s'arrête. Il en va de même du rire. (*Il rit*.) Ne disons donc pas de mal de notre époque, elle n'est pas plus malheureuse que les précédentes. (*Silence*.) N'en parlons pas. (*Silence*.) Il est vrai que la population a augmenté. »

Il excelle particulièrement dans l'étalage de ses états d'âme, en proie à des crises d'amour pour l'humanité qui sonnent faux, toujours marquées qu'elles sont du sceau de l'ironie et de la dérision :

« Je leur ai donné des os, je leur ai parlé de choses et d'autres, je leur ai expliqué le crépuscule, c'est une affaire entendue. Et j'en passe. Mais est-ce suffisant, voilà ce qui me torture, est-ce suffisant ? »

Maître en fausses pistes, Beckett excelle à faire reprendre par ses personnages des discours qui tissent les propos de son époque. L'angoisse métaphysique, les interrogations des intellectuels sur la nécessité et le bien-fondé de l'action, les propos humanistes et la méditation religieuse rythment ainsi des « conversations » souvent destinées à parler pour parler et dont rien ne permet d'affirmer que l'auteur les prenne vraiment à son compte.

L'hypothèse religieuse

Il est difficile d'échapper à l'arrière-plan religieux de l'œuvre. Outre le titre qui se réfère à un possible « Dieu » (le « *God* » anglais), les allusions aux Évangiles et à l'histoire religieuse constituent un important réseau de sens. La présence/absence de Godot identifié par la couleur de sa barbe blanche ou grise qui pourrait accueillir « chez lui » Didi et Gogo accrédite l'idée d'une divinité qui veille dans l'ombre. Il est fait mention, entre autres exemples, de la Terre sainte, des larrons dont un seul sera sauvé :

« VLADIMIR. — Ah oui, j'y suis, cette histoire de larrons. Tu t'en souviens ?
ESTRAGON. — Non.
VLADIMIR. — Tu veux que je te la raconte ?
ESTRAGON. — Non.
VLADIMIR. — Ça passera le temps. (*un temps*.) C'étaient deux voleurs, crucifiés en même temps que le Sauveur. On...
ESTRAGON. — Le quoi ?

VLADIMIR. — Le Sauveur. Deux voleurs. On dit que l'un fut sauvé et l'autre... (*il cherche le contraire de sauvé*)... damné.
ESTRAGON. — Sauvé de quoi ?
VLADIMIR. — De l'enfer ?
ESTRAGON. — Je m'en vais. (*Il ne bouge pas.*) »

L'échange se poursuit sur le mode de l'exégèse, sur le fait « qu'un seul des quatre évangélistes ait présenté les faits de cette façon », et non sur l'identité du Sauveur ou l'éventuelle croyance des protagonistes.

Ruby Cohn remarque dans *Travail théâtral* n° 20 que le point de départ de *Godot* dans la mise en scène de Beckett à Berlin est la crucifixion, telle que saint Luc la raconte et saint Augustin la résume : « Ne désespérez pas : l'un des larrons fut sauvé. N'espérez pas, l'un des larrons fut damné. » Beckett multiplie les effets de symétrie à l'infini, dans les personnages et leurs mouvements scéniques comme dans les objets (la carotte et le navet, les chaussures, les chapeaux) et dans la composition de la pièce (les deux actes, par exemple). Ce travail sur les formes ne fonde pas absolument un sens religieux.

« Tu crois que Dieu me voit ? » ou « À chacun sa petite croix » font partie des réflexions des personnages, sans qu'on puisse les considérer forcément comme autre chose que des lieux communs. Il reste que ces allusions reviennent fréquemment et de manière significative.

Les critiques et les metteurs en scène ont tous eu envie d'interroger Beckett sur ce point précis :

> « À notre toute première rencontre, j'ai demandé à Sam qui ou quoi était Godot, mais – heureusement – pas quelle en était la signification et il m'a répondu, après un moment de réflexion visible dans les profondeurs de ses yeux bleu-gris, que s'il l'avait su, il l'aurait dit dans sa pièce. » (Alan Schneider, « Comme il vous plaira, travailler avec Samuel Beckett », *Cahiers de L'Herne*, 1976.)

Pourtant, les interprétations religieuses ne manquent pas, le silence ou les dénégations de Beckett n'empêchant pas toutes les conjectures. Dans cette perspective, Vladimir et Estragon seraient deux échantillons de l'espèce humaine, perdus dans un monde inhospitalier et vivant dans l'attente d'un signe divin, d'un message qui serait de nature à transformer leur existence vaine. Leur vie de souffrance perpétuellement recommencée et éternellement reproduite ne s'arrêterait que le jour où Dieu se manifesterait et stopperait l'éternel recommencement des mêmes actions dénuées de sens.

Cette hypothèse a été développée par Jean Onimus (*Beckett*, « Les écrivains devant Dieu », Desclée de Brouwer, 1968). Il y analyse sa vie et son œuvre, et particulièrement *En attendant Godot*, dans une perspective métaphysique. Dans un chapitre titré « Dieu ? », il examine tous les aspects des personnages dans leur rapport à la divinité. « Chez Beckett Dieu est absent, c'est-à-dire qu'il se manifeste de l'intérieur comme un manque : c'est le dérangement inexplicable de l'ordre », écrit-il. À la suite de quoi il distingue trois attitudes principales : l'attente, comme « catégorie fondamentale de l'existence consciente » ; comme cette attente est déçue, la créature en vient à penser que « l'Essentiel se dérobe, qu'il est caché ou qu'il joue à se cacher » ; il en découle alors l'idée « d'un Dieu méchant, acharné à torturer sa créature ».

Onimus retrouve ces trois attitudes principales dans la pièce, dont il souligne qu'elles s'y recoupent. À propos de l'attente, il oppose ainsi le couple Vladimir-Estragon, qui se consacre totalement à l'attente, au couple Pozzo-Lucky, qu'il situe du côté des actifs, des hommes agités et absorbés par la vie présente, qui ont une expérience du temps totalement différente de celle des deux clochards.

En dépit de la finesse de son analyse, Jean Onimus n'échappe pas à une systématisation du commentaire et à une recherche de symboles. Ainsi, à propos des transformations de Pozzo et Lucky dans la deuxième partie, il explique que « la vie active atrophie et vieillit précocement. Pozzo et Lucky auront traversé l'existence sans rien voir de ce qu'il faut voir et sans rien dire de ce qu'il faut dire… » Du même coup, il valorise les deux « clochards » qui, en se consacrant entièrement à l'attente, s'élèvent à un niveau supérieur :

> « Fragiles, misérables, ils ont besoin de tout, ils attendent tout, mais ils ont une force qui est l'espérance. [...] L'existence, au moins supposée, de Godot donne un sens à la vie. Peu importe, au fond, que Godot existe : l'essentiel c'est que l'attente, fût-elle

vaine, sauve chaque jour du désespoir. [...] Godot est celui auprès de qui on pourrait dormir « au chaud, au sec, le ventre plein, sur la paille ». Il est le symbole du rassasiement physique et moral, le lieu de la plénitude, le don de la vraie vie. » (*Beckett*, p. 84.)

Tout prend ainsi sens, aussi bien les dénégations ou les ignorances du jeune garçon, qui relèvent de l'interprétation du « Dieu caché », que les questions sur le bonheur que posent Vladimir et Estragon. « Pourquoi Dieu traite-t-il bien son gardeur de chèvres, pourquoi bat-il son gardeur de brebis ? Mystère ! », s'exclame Onimus, insensible à l'humour ou à l'ironie éventuelle des propos de Beckett. La mystérieuse transformation de l'arbre reçoit le même type d'interprétation, l'arbre passant de l'état de « tronc sans vie, foudroyé », à une nouvelle existence. « La sève ayant toujours servi de symbole à la grâce », Onimus en déduit que le passage de Godot aurait eu lieu pendant l'entracte, au moment où les personnages ne l'attendaient pas, et il cite à l'appui cette analyse de Charles Mc Cloy, tirée d'un article publié en 1959 et intitulé « Waiting for Godot, Religion in Life » :

> « Ce que Gogo et Didi attendent arrive réellement. C'est eux qui manquent au rendez-vous ; l'arbre, la croix, devient arbre de vie. Mais ceux qui attendent, aveugles et contents d'eux-mêmes, restent morts. »

Il en est de même pour Pozzo, maître égoïste et dominateur que Didi et Gogo prennent un court instant pour Godot, qui pourrait, lui aussi, symboliser le « Dieu méchant », l'image sinistre d'une divinité aveugle et sourde aux besoins de ses créatures dont Lucky serait la marionnette.

Toutes ces interprétations sont solidement argumentées. Il reste qu'elles s'appuient sur une recherche des symboles expliqués au coup-par-coup, et sur une démarche qui s'applique à déceler dans l'œuvre les manifestations d'une pensée ou d'une philosophie qui lui sont extérieures. Une œuvre comme *Godot* risque de devenir une auberge espagnole ouverte à toutes les interprétations qu'on y apporte si on ne prend pas en compte l'ensemble de sa construction et un aspect ici dangereusement occulté, l'humour, fût-il noir.

L'arrière-plan religieux est incontestable, ne serait-ce que par les matériaux qu'utilise Beckett, le jeu de citations et de références.

Mais la question du « point de vue », essentiel en dramaturgie, demande à être examinée, faute de quoi on confond la dimension thématique de l'œuvre et le discours qui construit en définitive du sens. À vouloir donner trop de signification à ces clochards dont ils font de pauvres hères en quête de Dieu, certains commentateurs perdent de vue les autres dimensions des personnages et de la pièce. Ils occultent aussi ce que Roger Blin appelle les « fausses pistes de l'œuvre », le fait que Beckett joue avec les citations et les références sans qu'on sache réellement quel degré de sérieux il faut leur accorder.

La quête du « rien »

D'autres interprétations développent un point de vue absolument inverse, parfois à partir de la même analyse. Michel Corvin, par exemple, dans *Le Théâtre nouveau en France,* s'élève avec fermeté contre toutes les interprétations faites sous l'étiquette « théâtre de l'absurde », qui lui semblent simplifier dangereusement l'œuvre et qui proviennent d'un amalgame avec d'autres discours des années cinquante : « Réduire sa dramaturgie à une philosophie, c'est proprement la vider de contenu, surtout s'agissant d'une philosophie du désespoir viril sur fond d'humanisme dont Beckett n'a que faire », écrit-il, faisant allusion au rapprochement fréquent avec l'œuvre de Camus.

Corvin analyse au contraire l'ensemble du théâtre de Beckett du point de vue de la quête du « rien » et de l'inversion des valeurs. Il ne s'agit plus, selon lui, de montrer les personnages luttant contre le « vide » d'un univers déserté par Dieu, mais d'en faire au contraire l'essence de leur quête. Ce vide n'est plus posé comme un manque initial mais comme une sorte d'achèvement paradoxal :

> « Le monde de Beckett est celui de la création inversée : plus on est réduit, plus on a des chances de survivre ; à partir de zéro va se construire une sous-existence : la position fœtale, l'immobilité recroquevillée (dans un sac, un mamelon, une jarre), l'attente indéfinie, le silence sont les modes d'être les plus proches de l'existence pure et la seule protection contre les agressions de l'extérieur. »

À partir de ce constat de l'inversion des valeurs, la quête du silence et de l'immobilité prend une autre dimension. Il s'agit moins d'une résistance ou d'une résignation face à la mort que de la conquête difficile d'un statut de mort :

« Plus on est mort (par la perte progressive des sens par exemple) plus l'on vit, c'est-à-dire plus l'on est proche de la véritable définition de la vie puisque seul le néant est quelque chose. »

Dans cette perspective et comme on l'a déjà noté, *En attendant Godot* se lit comme une entreprise où il s'agit d'aller au bout du « rien » et, en premier lieu, de terminer la représentation commencée pour gagner le statut d'immobilité finale. Cette quête est perturbée par des diversions de tous ordres, par des rencontres et par des projets de divertissement qui n'en finissent pas de finir, alors que *Fin de partie* commence par cette affirmation fondamentale (« C'est fini »), qu'il s'agit ensuite de vérifier. « Hamm et Clov vont passer une vie à s'assurer que le vide sonne bien le creux » ajoute Corvin. De leur côté, Vladimir et Estragon vérifient qu'ils sont bien en mesure d'aller au bout de leur unique projet, l'attente. Mais ils le font sur une scène de théâtre,

« lieu concret, immédiat et visible, émanation stricte du théâtre ramené à sa définition stricte d'espace conventionnel, de temps limité à celui de la représentation, de langage libéré de toute possibilité de transcrire une réalité qui déborde hors de la scène. »

Beaucoup de critiques contemporains renoncent ainsi à alimenter le commentaire par des référents extérieurs à l'œuvre. En partant de la simple énonciation du texte sur une scène de théâtre, ils s'en tiennent à la clôture de l'œuvre, retenant comme essentiel, on l'a vu, sa dimension de théâtre en train de s'inventer instant par instant. L'expérience du vide et celle du temps se donnent pour ce qu'elles sont, dans la sensation permanente que la représentation théâtrale est menacée à chaque instant par l'arrêt définitif.

André Clavel, dans un bel article du *Dictionnaire des littératures de langue française* (Bordas), commente *En attendant Godot* en allant au bout de cette hypothèse. Il propose lui aussi une lecture essentiellement théâtrale du texte, ramenant tous les propos philosophiques à des énoncés ironiques ou parodiques. Toutes les valeurs finissent par s'inverser dans une œuvre circulaire :

« C'est une parodie du théâtre, dans laquelle le tragique lui-même
se met en scène pour mieux se mettre en dérision : les *Pensées* de
Pascal jouées par les Fratellini, a dit Anouilh. Comme si Beckett
avait utilisé tous les ingrédients de ses contemporains (thèmes de
l'absurde, du néant, de l'attente, du silence...) pour les invalider
et les jeter au feu de leur propre négativité.[...] S'il y a un sens à
Godot, il est là : une vigilance têtue qui nargue les symbolismes et
dégoupille les tentations de l'exégèse. Il n'y a pas de clés chez
Beckett, il y a du jeu : la mort du métalangage. Vouloir trouver
des alibis philosophiques, ce serait nier la spécificité de ce théâtre,
dont il faut savoir jouir au premier degré. »

En attendant Godot et le « nouveau théâtre »

Comme beaucoup d'autres œuvres rassemblées sous cette déno-
mination de « nouveau théâtre », *Godot* se caractérise par une rupture avec le théâtre d' illusion. Il ne s'agit plus de faire croire à la
vraisemblance d'événements extérieurs à la scène, à une fable
déroulant sa logique propre, à un univers référentiel construit à
l'aide des modestes conventions théâtrales. Le théâtre se donne
pour ce qu'il est, comme un univers clos obéissant à des règles
internes, notamment à celles de l'espace et du temps. L'espace est
celui de la scène, le temps celui de la représentation, l'action se
limite à ce qui peut se dérouler dans « l'ici et maintenant ».

Il est parfois question « d'anti-théâtre » à propos de ces dramaturgies. Pourtant, elles s'attaquent moins au théâtre en tant que tel
qu'aux conventions héritées d'Aristote, rompant avec la logique
fabulaire et le respect de la vraisemblance. La plupart des œuvres
nouvelles des années cinquante ne sont plus subordonnées au récit,
elles mettent en cause les mécanismes psychologiques des personnages et font douter de la sûreté du langage. Ces raisons sont généralement suffisantes pour qu'elles soient jugées globalement comme
l'expression d'un même projet de déconstruction du langage théâtral établi. Il est vrai que Ionesco, au moment de *La Cantatrice
chauve*, procède au dérèglement de la machinerie dramatique dont
il exhibe les rouages qui tournent à vide. La dérision emporte avec
la même force iconoclaste le récit organisé aussi bien que le langage

dynamité. Le théâtre ne survit alors que sur les ruines de l'explosion, comme une énorme farce.

Avec *Godot*, Beckett poursuit une œuvre personnelle déjà bien entamée. Ses thèmes et ses obsessions, présents dans les romans, s'inscrivent au cœur de la théâtralité et reprennent la même quête de l'essentiel. La mobilité immobile des personnages, la recherche obstinée du « rien », la présence de la conscience au monde, s'installent tout naturellement sur le théâtre et puisent dans ses conventions la force comique d'une expression intérieure devenue concrète.

Le recul permet de mieux juger de l'originalité de la pièce. En fait, rarement une œuvre a joué aussi franchement le jeu du théâtre et assumé jusqu'à ses extrêmes limites, celles de la provocation, les exigences de la représentation. Si « le monde entier est un théâtre », a-t-on pu dire à propos de Shakespeare, avec Beckett, on peut avancer que c'est le théâtre qui se donne pour le monde. La scène, ici le lieu de projection de l'univers intime, devient la seule référence concrète. Ce qui s'y joue se donne pour tel, comme une expérience humaine à la fois sensible et dérisoire.

Cette nouvelle liberté, la qualité de cet « être-là » a fasciné auteurs et metteurs en scène. Pour beaucoup, elle se référait explicitement à une « physique du théâtre » qui était déjà le rêve d'Artaud appelant de ses vœux, dans *Le Théâtre et son double*, la scène comme « lieu physique et concret qui demande qu'on le remplisse ». La remplir concrètement en se passant de tout référent devient cependant vite problématique. Toutes les œuvres postérieures ne peuvent se référer explicitement au théâtre sous peine d'une dangereuse circularité. Or une des tendances des œuvres des années soixante et soixante-dix a consisté à user largement de cette auto-consommation. Par un effet pervers, le théâtre s'est mis à parler du théâtre, soit dans l'écriture, soit dans les mises en scène qui ont multiplié les effets d'inscription de la théâtralité dans le théâtre, les mises en abyme se multipliant à l'infini. Parlant du théâtre, les œuvres ont cessé de parler d'autre chose et les effets d'auto-référence ont comme évacué tout projet de discours sur le monde.

On l'a vu pour Beckett, le travail de déconstruction et l'abandon des dramaturgies réalistes, le dialogue fermé, puis l'avènement du soliloque et d'une parole de plus en plus difficile à émettre, menaient inexorablement à une limite de l'écriture, celle du silence. Tous les auteurs ne pouvaient choisir une voie aussi étroite ; beaucoup s'interrogèrent sur cette crise du récit et sur la possibilité de réouvrir le huis-clos de la scène au monde extérieur. On peut comparer l'évolution de Beckett à celles de Ionesco et d'Adamov. Ionesco renoua assez vite avec la littérature à message. À travers des paraboles très transparentes, dans *Tueur sans gages* et dans *Rhinocéros* par exemple, il fait même à nouveau appel à la présence d'un héros, fût-ce à un héros aussi dérisoire que Bérenger. Adamov réouvrit son théâtre sur le monde en montrant à nouveau sur scène les « grandes et les petites manœuvres » d'une société, la nôtre, régie par le profit.

La réussite de *Godot* vient d'une rare adéquation du propos sur l'attente, et d'une forme qui vise à faire sentir l'épaisseur concrète de cette attente à travers le déroulement de la représentation. La noirceur du propos, qui ne redit peut-être que le désir et l'impossibilité de mourir, fonde paradoxalement un théâtre de l'invention et de la vitalité constantes.

Annexes

Notions clés et citations

Dieu/religion –

« Tu crois que Dieu me voit ? » (*En attendant Godot.*)

« A chacun sa petite croix. » (*En attendant Godot.*)

« Le salaud ! Il n'existe pas. » (*Fin de partie.*)

« Que foutait Dieu avant la création ? » (*Molloy.*)

« L'éternel soutient tous ceux qui tombent. Et il redresse tous ceux qui sont courbés. » (*Tous ceux qui tombent.*)

« Que penser du serment des Irlandais la main droite sur la relique des saints et la gauche sur le membre viril ? » (*Molloy.*)

Habitude –

« L'habitude est une grande sourdine. » (*En attendant Godot.*)

« La créature d'habitude se détourne de l'objet qu'elle ne peut faire correspondre à quelques uns de ses préjugés intellectuels. » (*Proust.*)

« L'habitude est l'ancre qui enchaîne le chien à son vomi. » (*Proust.*)

« Mais je me sens trop vieux et trop loin pour pouvoir former de nouvelles habitudes. » (*Fin de partie.*)

Humanité –

« Les gens sont des cons. » (*En attendant Godot.*)

« Mais à cet endroit, en ce moment, l'humanité c'est nous, que ça nous plaise ou non. Profitons-en, avant qu'il soit trop tard. » (*En attendant Godot.*)

« L'humanité… est un puits à deux seaux. Pendant que l'un descend pour être rempli, l'autre monte pour être vidé. » (*Murphy.*)

« Plus je rencontre de gens, plus je suis heureux. Avec la moindre créature on s'instruit, on s'enrichit, on goûte mieux son bonheur. » (*En attendant Godot.*)

« Voilà l'homme tout entier, s'en prenant à sa chaussure alors que c'est son pied le coupable. » (*En attendant Godot.*)

« La route est longue quand on chemine tout seul. » (*En attendant Godot.*)

Mémoire –

« C'est que ma mémoire est défectueuse.» (*En attendant Godot.*)

« Les lois de la mémoire dépendent des lois plus générales qui régissent l'habitude. » (*Proust.*)

Mots –

« J'ai l'amour du mot, les mots ont été mes seules amours, quelques-uns. » (*D'un ouvrage abandonné.*)

« Les mots vous lâchent, il y a des moments où même eux vous lâchent. » (*Oh les beaux jours*)

« J'ai peur, peur de ce que mes mots vont faire de moi. » (*L'innommable*)

« Plus la peine de faire le procès aux mots. Ils ne sont pas plus creux que ce qu'ils charrient. » (*Malone meurt.*)

« La fausseté des termes n'entraîne pas fatalement celle de la relation que je sache. » (*Molloy.*)

« Je ne sais plus très bien ce que j'ai dit, mais vous pouvez être sûrs qu'il n'y avait pas un mot de vrai là-dedans. » (*En attendant Godot.*)

Obscurité –

« C'est là qu'on commence enfin à voir, dans le noir. Dans le noir qui ne craint plus aucune aube. Dans le noir qui est aube et midi et soir et nuit d'un ciel vide, d'une terre fixe. Dans le noir qui éclaire l'esprit. » (*Le monde et le pantalon.*)

« Lumière qui se meurt. Bientôt nulle.

Non. Ca n'existe pas nulle lumière.

[...]

A travers le noir déchiré il fixe l'autre noir. L'autre noir au-delà. » (*Solo.*)

« Je vois ma lumière qui meurt. » (*Fin de partie.*)

« Je me dis que la terre s'est éteinte, quoique je ne l'ai jamais vue allumée. » (*Fin de partie.*)

Paroles-silence –

« Essayons de converser sans nous exalter, puisque nous sommes incapables de nous taire. » (*En attendant Godot.*)

« Vous ne trouvez pas ma façon de parler un peu… bizarre ? (*Un temps.*) Je ne parle pas de la voix. (*Un temps.*) Non, je parle des mots. (*Un temps*) Non, je parle des mots. (*Un temps. Presque à elle-même.*) Je n'emploie que les mots les plus simples, j'espère, et cependant quelquefois je trouve ma façon de parler très… bizarre. » (*Tous ceux qui tombent.*)

« J'ai à parler, n'ayant rien à dire, rien que les paroles des autres. » (*L'Innommable.*)

« À aucun moment je ne sais de quoi je parle, ni de qui, ni de quand, ni d'où, ni avec quoi, ni pourquoi… » (*L'Innommable.*)

« Puis parler, vite, des mots, comme l'enfant solitaire qui se met en plusieurs, deux, trois, pour être ensemble, et parler ensemble, dans la nuit. » (*Fin de partie.*)

« Tout ce que je dis s'annule, je n'aurai rien dit. » (*Nouvelles et textes pour rien.*)

« Trop de silence je ne peux pas. » (*Assez.*)

« Je suis en progrès, il était temps, je finirai par pouvoir fermer ma sale gueule, sauf prévu. »(*Textes pour rien.*)

Rire-pleurer –

« Rire ou pleurer c'est la même chose à la fin. » (*More Pricks than Kicks.*)

« Tu me ferais rire, si cela m'était permis. » (*En attendant Godot.*)

« Les larmes du monde sont immuables. Pour chacun qui se met à pleurer, quelque part un autre s'arrête. » (*En attendant Godot.*)

« On n'ose même plus rire. » (*En attendant Godot.*)

« Il ne faut pas rire de ces choses, Nagg. Pourquoi en ris-tu toujours ?[…] Rien n'est plus drôle que le malheur, je te l'accorde. » (*Fin de partie.*)

Temps –

« Le temps s'est arrêté. » (*En attendant Godot.*)

« Vous n'avez pas fini de m'empoisonner avec vos histoires de temps ? C'est insensé ! Quand ! Quand ! Un jour, ça ne vous suffit pas, un jour pareil aux autres, il est devenu muet, un jour, je suis devenu aveugle. » (*En attendant Godot.*)

« Ce qui est certain, c'est que le temps est long, dans ces conditions, et nous pousse à le meubler d'agissements qui, comment dire, peuvent à première vue paraître raisonnables, mais dont nous avons l'habitude. » (*En attendant Godot.*)

« Monstre bicéphale de la damnation et du salut, le temps. » (*Proust.*)

Vie-mort –

« J'ai tiré ma roulure de vie au milieu des sables. » (*En attendant Godot.*)

« J'ai coulé toute ma chaude-pisse d'existence ici... Ici ! Dans la merdecluse ! » (*En attendant Godot.*)

« Ce qui compte c'est d'être au monde, peu importe la posture, du moment qu'on est sur terre. » (*Textes pour rien.*)

« C'est dans la tranquillité de la décomposition que je me rappelle cette longue émotion confuse que fut ma vie... Décomposer c'est vivre aussi. » (*Molloy.*)

« Le dernier moment... C'est long mais ce sera bon. Qui disait ça ? » (*En attendant Godot.*)

« Je ne sais plus quand je suis mort. Il m'a toujours semblé être mort vieux, vers quatre-vingt-dix ans, et quels ans, et que mon corps en faisait foi, de la tête jusqu'aux pieds. » (*Le Calmant.*)

« ... craindre la mort comme une renaissance. » (*Molloy.*)

Extraits critiques

Variations et combinaisons

« Peut-être la richesse théâtrale de l'œuvre de Beckett est-elle là : elle admet bien des styles de jeu mais, d'une certaine manière, ne s'arrête jamais sur l'un ou l'autre. Elle les met, aussi, en doute. Elle les montre *jouant*. Elle les dé-monte et en montre comme l'envers. Le texte déjoue toujours, peu ou prou, sa propre représentation. [...] Beckett ne nous dit peut-être que le désir et l'impossibilité de mourir. Mais il le dit sur tant de tons, il fait là-dessus tellement de variations (au sens musical), il échafaude tant de combinaisons, que son théâtre est d'une vitalité prodigieuse. Dans sa fragmentation et son laconisme, il offre un champ presque infini à nos possibilités de jeu.

« Peut-être pourrait-on, par référence à Corneille, en parler comme d'une « illusion tragi-comique » de notre temps. »

Bernard Dort, « L'acteur chez Beckett : davantage de jeu »,
in *La Revue d'esthétique*, 1990.

Un drame réaliste

« Pour certains, *En attendant Godot* est un drame fantastique. Il s'agit pour eux d'une pièce curieuse, obscure, déracinée de la vie, arbitraire, étrange, capricieuse. [...] Pour moi cette attitude devant *En attendant Godot* est incompréhensible. C'est que je n'ai jamais vu un drame aussi réaliste ; je n'ai jamais vu – pour le dire d'une autre manière – une œuvre moins fantastique. [...] Avec *En attendant Godot* il y a enfin, dans l'histoire du théâtre, une tragi-comédie pure. En ce sens, elle rompt avec la tragi-comédie classique. [...] Nous rions, mais notre rire sonne faux. Qu'est-il arrivé ? Nous nous sommes reconnus.

[...] *En attendant Godot* saisit précisément ce « ne rien arriver » constituant notre existence quotidienne. [...] La trame d'*En attendant Godot*, est, justement, la trame de notre vie. »

Alfonso Sastre, « Avant-garde et réalité »,
in *Cahiers de l'Herne*, 1976.

Une vérité inacceptable

« Beckett agace toujours les gens par son honnêteté. Il fabrique des objets. Il les met devant nous. Ce qu'il nous montre est affreux, et, parce que c'est affreux, c'est également drôle. Il démontre qu'il n'y a pas moyen de s'en sortir, et ceci, bien sûr, est exaspérant. Effectivement il n'y a aucun moyen de s'en sortir. Tout le monde arrive encore au théâtre avec le pieux espoir qu'avant la fin des deux heures de spectacle, le dramaturge leur aura donné une réponse. [...] La réaction du public devant une pièce de Beckett est exactement la même que celle de ses personnages en face des situations qu'ils vivent. Le public s'agite, se tortille, bâille, sort au milieu de la pièce, invente et met sous presse les plaintes et les accusations imaginaires les plus diverses, et toujours par un mécanisme de défense contre une vérité inacceptable. [...] Cet optimisme que nous désirons sans cesse est la pire de nos fuites devant la réalité. Quand nous accusons Beckett de pessimisme, nous sommes de vrais personnages de Beckett dans une pièce de Beckett. »

Peter Brook, « Dire oui à la boue », *Cahiers de l'Herne, 1976.*

Le don de la provocation

« *Godot* contenait énormément de choses. C'est un texte extraordinairement riche et généreux et chacun a choisi de voir ce qu'il voulait voir mais tous ont ri et tous ont été émus et c'est cela que nous voulions. [...] *Godot*, c'est évidemment du vrai théâtre, du grand théâtre, et ça, je l'ai senti immédiatement. Mais plus encore que les qualités littéraires et dramatiques du texte, ce qui m'a excité c'est ce don que possède Beckett de la provocation. *Godot* sans la provocation serait une pièce sur l'incommunicabilité et l'incommunicabilité a bon dos. [...] La psychologie, le romantisme, le sous-brechtisme à la poubelle ! Alors bien sûr *Godot* a pu être récupéré par les chrétiens, par les humanistes de tout poil. mais ce qui compte c'est que cette pièce a changé l'état du théâtre. »

Roger Blin, *Souvenirs et propos recueillis*
par Lynda Peskine, Gallimard, 1986.

Le fait d'être là

« Nous saisissons tout-à-coup, en les regardant [les vagabonds de *Godot*], cette fonction majeure de la représentation théâtrale : montrer en quoi consiste le fait *d'être là*. Car c'est cela, précisément, que nous n'avions pas encore vu sur la scène. [...] Le personnage de théâtre, le plus souvent, ne fait que *jouer un rôle*, comme le font autour de nous ceux qui se dérobent à leur propre existence. Dans la pièce de Beckett, au contraire, tout se passe comme si les deux vagabonds se trouvaient en scène *sans avoir de rôle*. Ils sont là ; il faut qu'ils s'expliquent. Mais ils ne semblent pas avoir de texte tout préparé et soigneusement appris par cœur, pour les soutenir. Ils doivent inventer. Ils sont libres. Bien entendu, cette liberté est sans emploi. [...] La seule chose qu'ils ne sont pas libres de faire, c'est de s'en aller, de cesser d'être là : il faut bien qu'ils demeurent puisqu'ils attendent Godot.[...] Ils seront encore là le lendemain, le lendemain du lendemain, et ainsi de suite [...], seuls en scène, debout, inutiles, sans avenir ni passé, irrémédiablement présents. »

Alain Robbe-Grillet, « Samuel Beckett ou la présence sur la scène », in
Pour un nouveau roman, Gallimard, Idées, 1963.

Bibliographie

Œuvres de Samuel Beckett
(éditées en langue française)

Romans, nouvelles, essais, poèmes

Murphy, Bordas, 1947 et Minuit, 1953.

Watt, Minuit, 1969.

Premier amour, Minuit, 1970.

Mercier et Camier, Minuit, 1970.

Molloy, Minuit, 1951.

Malone meurt, Minuit, 1951.

L'Innommable, Minuit, 1953.

Nouvelles (« L'Expulsé », « Le Calmant », « La Fin ») et *Textes pour rien*, Minuit, 1955.

Comment c'est, Minuit, 1961.

Têtes mortes (« D'un ouvrage abandonné », « Assez », « Imagination morte imaginez », « Bing », « Sans »), Minuit, 1967.

Le Dépeupleur, Minuit, 1971.

Pour finir encore et autres foirades, Minuit, 1976.

Compagnie, Minuit, 1976.

Mal vu mal dit, Minuit, 1981.

Soubresauts, Minuit, 1986.

Proust, Minuit, 1990.

Cap au pire, Minuit, 1991.

Poème, suivi de *Mirlitonnades*, Minuit, 1968.

Théâtre, télévision et radio

En attendant Godot, Minuit, 1952.

Fin de partie, Minuit, 1957.

Tous ceux qui tombent, Minuit, 1957.

La dernière bande, suivi de *Cendres*, Minuit, 1960.

Oh les beaux jours, suivi de *Pas moi*, Minuit, 1975.

Comédie et actes divers (« Va-et-vient », « Cascando », « Paroles et musique », « Dis Joe », « Actes sans paroles I et II », « Film », « Souffle »), Minuit, 1966.

Pas, suivi de *Quatre esquisses* (Fragment de théâtre I et II, Pochade radiophonique, Esquisse radiophonique), Minuit, 1978.

Catastrophe et autres dramaticules (« Cette fois », « Solo », « Berceuse », « Impromptu d'Ohio »), Minuit, 1982.

Études sur Samuel Beckett et *En attendant Godot*

Monographies

BAIR (Deirdre), *Samuel Beckett*, Fayard, 1979.

BRUZZO (François), *Samuel Beckett*, Henri Veyrier, 1990.

JANVIER (Ludovic), *Beckett*, « Ecrivains de toujours », Seuil, 1969.

JULIET (Charles), Samuel Beckett, « Explorations », Fata Morgana, 1986.

ONIMUS (Jean), *Beckett devant Dieu*, Desclée de Brouwer, 1968.

Sur le théâtre

BLIN (Roger), *Souvenirs et propos,* recueillis par Lynda Peskine, Gallimard, 1986.

CORVIN (Michel), *Le Théâtre nouveau en France,* « Que sais-je ? » n°1072, PUF, 1963.

ESSLIN (Martin), *Le Théâtre de l'absurde,* Buchet-Chastel, 1971.

JACQUART (Emmanuel), *Le Théâtre de dérision,* Beckett, Ionesco, Adamov, « Idées », Gallimard, 1974.

SERREAU (Geneviève), *Histoire du « Nouveau théâtre »,* « Idées », Gallimard, 1966.

ASLAN (Odette), *« En attendant Godot de Samuel Beckett »,* in Les Voies de la création théâtrale, Paris, CNRS, 1982.

DORT (Bernard), *« En attendant Godot, pièce de S. Beckett »,* Les Temps modernes, 1953.

Numéros de revues exclusivement consacrés à S. Beckett

Samuel Beckett, « Cahiers de L'Herne », Ed. de l'Herne, 1976, disponible en Livre de poche, « Biblio essais ».

Samuel Beckett, « Revue d'esthétique », hors série 1990, Ed : J.M. Place.

Samuel Beckett, « Critique », 1990, éd. de Minuit.

Collection Lettres Supérieures

Théories et analyses littéraires

Introduction aux grandes théories du roman (CHARTIER)
Introduction aux grandes théories du théâtre (ROUBINE)
Introduction à la poésie moderne et contemporaine (LEUWERS)
Introduction à l'analyse du roman (REUTER)
Introduction à l'analyse du théâtre (RYNGAERT)
Introduction à l'analyse du poème (DESSONS)
Introduction au Surréalisme (ABASTADO)

Les méthodes pour l'analyse des textes

Introduction aux méthodes critiques pour l'analyse littéraire (BERGEZ *et al.*)
Éléments de psychanalyse pour l'analyse des textes littéraires (WIEDER)
Éléments de linguistique pour le texte littéraire (MAINGUENEAU)
Pragmatique pour le discours littéraire (MAINGUENEAU)
Le contexte de l'œuvre littéraire (MAINGUENEAU)
Introduction à l'analyse stylistique (SANCIER/FROMILHAGUE)
Éléments pour la lecture des textes philosophiques (COSSUTTA)

Les ouvrages de préparation aux examens et concours

Précis de grammaire pour les concours (MAINGUENEAU)
L'explication de texte littéraire (BERGEZ)
La dissertation littéraire (SCHEIBER)
L'atelier d'écriture (ROCHE)
L'épreuve de littérature comparée (CHAUVIN/CHEVREL, à paraître en 93)
Lexique de latin (CARON)
Les philosophes et le corps (HUISMAN/RIBES)
Éléments de rhétorique et d'argumentation (ROBRIEUX)